100 TOLLE SACHEN

die Sie mit Ihrem Notebook machen

Die Deutsche Bibliothek verzeichnet diese Publikation in der Deutschen Nationalbibliografie;
detaillierte bibliografische Daten sind im Internet über <http://dnb.ddb.de> abrufbar.

Die Informationen in diesem Produkt werden ohne Rücksicht auf einen eventuellen Patentschutz veröffentlicht.
Warennamen werden ohne Gewährleistung der freien Verwendbarkeit benutzt.
Bei der Zusammenstellung von Texten und Abbildungen wurde mit größter Sorgfalt vorgegangen.
Trotzdem können Fehler nicht vollständig ausgeschlossen werden.
Verlag, Herausgeber und Autoren können für fehlerhafte Angaben und deren Folgen weder eine juristische
Verantwortung noch irgendeine Haftung übernehmen.
Für Verbesserungsvorschläge und Hinweise auf Fehler sind Verlag und Herausgeber dankbar.

Fast alle Hardware- und Softwarebezeichnungen und weitere Stichworte und sonstige Angaben, die in diesem Buch
verwendet werden, sind als eingetragene Marken geschützt.
Da es nicht möglich ist, in allen Fällen zeitnah zu ermitteln, ob ein Markenschutz besteht, wird das ® Symbol
in diesem Buch nicht verwendet.

Umwelthinweis:
Dieses Buch wurde auf chlorfrei gebleichtem Papier gedruckt.
Um Rohstoffe zu sparen haben wir auf die Einschweißfolie verzichtet.

10 9 8 7 6 5 4 3 2 1

09   08   07

ISBN 978-3-8272-4331-7

© 2007 by Markt+Technik Verlag,
ein Imprint der Pearson Education Deutschland GmbH,
Martin-Kollar-Straße 10–12, D-81829 München/Germany
Alle Rechte vorbehalten
Lektorat: Mailin Bremer, mbremer@pearson.de
Fachlektorat: Hans Frey
Herstellung: Claudia Bäurle, cbaeurle@pearson.de
Korrektorat: Marita Böhm
Satz: text&form GbR, Fürstenfeldbruck
Druck und Verarbeitung: Bosch Druck, Ergolding
Printed in Germany

Joe Betz

100 TOLLE SACHEN

die Sie mit Ihrem Notebook machen

Inhaltsverzeichnis

Vorwort

Liebe Leserin, lieber Leser,

als wir dieses Buch begannen, dachten wir leichtfertig, ohne große Recherchen und nächtelanges Herumprobieren auszukommen, denn 100 tolle Sachen würden wir locker aus dem Zylinder zaubern: Bilder ansehen, im Internet surfen, E-Mails schreiben usw. Die Ernüchterung kam umgehend: Denn es ist tatsächlich gar nicht so leicht, aus dem ganzen „Wust" von Informationen, die es so über das Handling von Notebooks gibt, die „essentiellen Wahrheiten" herauszufiltern. Sie dann auch noch kompakt und klar aufzubereiten, damit Sie, der Leser, einen echten Mehrwert erhalten, war ebenfalls eine Herausforderung. Doch wir haben sie angenommen: Wir brauchten tolle Sachen, die den täglichen Umgang mit dem Notebook erleichtern und auftretende Probleme lösen helfen. Probleme und Beschwerden kamen aus Onlineforen, Chaträumen und aus Second Life, unsere eigenen landeten ebenfalls auf der Liste. Dann galt es, Lösungen zu finden. Das Ergebnis liegt vor Ihnen: Eine feine Sammlung von Tipps, Kniffen, hilfreichen Zusatzanwendungen und Registrierungshacks. Wir hoffen, Sie haben beim Lesen und Ausprobieren genauso viel Spaß, wie wir ihn beim Schreiben hatten.

Ihr Joe Betz

Einleitung

Wir haben dieses Buch in sieben Teile aufgegliedert. Jeder einzelne Teil umfasst Tipps, Tricks und Empfehlung zu einem Oberbegriff bzw. einer bestimmten Thematik.

Los geht es mit der Aero-Oberfläche von Windows Vista und ihren Besonderheiten. Weiterhin informieren wir Sie über die vielfältigen Möglichkeiten, sie individueller zu gestalten und Ihren persönlichen Ansprüchen anzupassen.

Ein weiters Augenmerk gilt der Mobilität. Es geht unter anderem um effizientere Nutzung der Akku-Leistung durch eigene Energiesparpläne. Der schnelle Datenabgleich zwischen Notebook und Heim-PC fehlt ebenso wenig, wie der Schutz privater und sicherheitsrelevanter Daten im Falle eines Diebstahls.

Anschließend steht die Unterhaltung im Vordergrund. Probleme mit fehlenden Encodern werden gelöst, DVDs angesehen, Audio-CDs auf die Festplatte des Notebooks kopiert und der iPod gefüttert.

Auch der Sicherheitsaspekt hat seinen Platz. Wir geben Tipps zur Konfiguration der Windows Firewall, helfen Ihnen beim Absichern Ihres Drahtlosnetzwerkes. Es geht um Sicherheit beim Online-Banking, Schutz vor Computerviren, Ausmerzen von Spyware und vieles mehr.

Unter dem Oberbegriff Know-how verraten wir Ihnen Tricks, Kniffe und versteckte Windows-Features.

Wie Sie bestimmte Anwendungen auf Ihrem Notebook beschleunigen, Fehler aufdecken und beseitigen können, erfahren Sie im Kapitel Wartung und Tuning.

Abschließend erfolgt ein kleiner Abstecher in den Bereich Freeware, wo wir Ihnen einige Anwendungen vorstellen, die den Funktionsumfang von Vista erweitern bzw. altbekannte Windowsanwendungen durch leistungsfähigere Varianten ersetzen.

Outfit

Das neue Windows hat eine feine und leicht zu bedienende Oberfläche. Sie erschließt sich auch dem unerfahrenen Anwender sofort – oder sollte es wenigstens tun. Wir helfen Ihnen über die „Aero-Tücken" hinweg und zeigen, wie Sie Ihren Desktop übersichtlich und individuell gestalten können. Weiterhin haben wir noch einige Gimmicks für Sie auf Lager, mit denen Sie optische Highlights auf den Bildschirm zaubern können.

1 Aero-Oberfläche aktivieren

Die schicke transparente Aero-Oberfläche ist eine grundlegende Neuerung von Windows Vista. Sie sollte nach der Aktivierung von Windows Vista bei entsprechender Hardwareunterstützung automatisch zur Verfügung stehen. Folgendermaßen wird sie aktiviert:

1. Klicken Sie mit rechts auf den Bildschirm und wählen Sie **Anpassen** aus dem Kontextmenü.

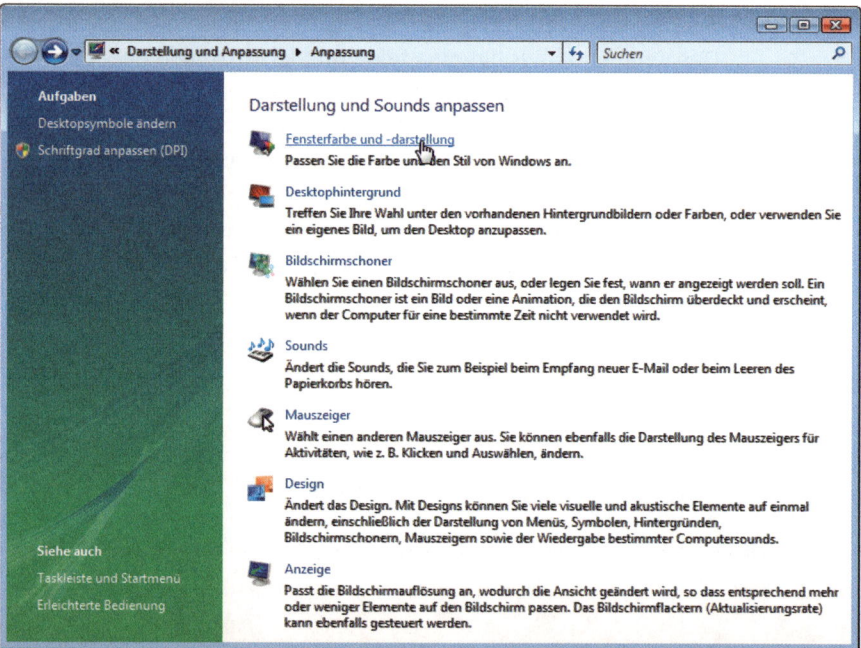

2. Klicken Sie im nachfolgenden Dialog auf **Fensterfarbe und -darstellung**.

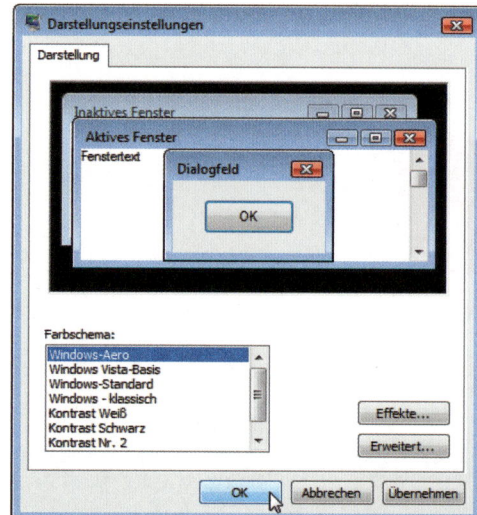

3. Wählen Sie **Windows-Aero** aus und bestätigen Sie mit **OK**.

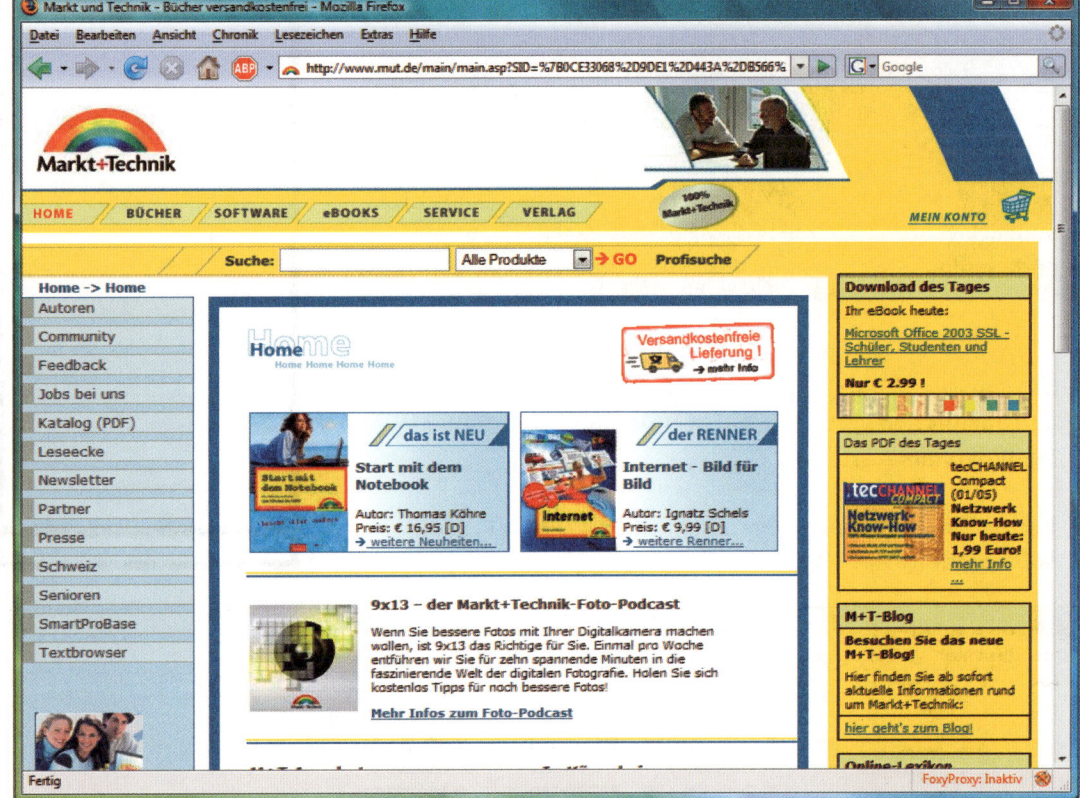

Aero „erzwingen"

Manchmal passiert es, dass Aero selbst bei richtig installierten Treibern nicht korrekt funktioniert. Entweder ist es dann bei den **Darstellungseigenschaften** nicht auswählbar oder Windows sieht auch nach der Aktivierung unverändert aus. Vista erkennt aufgrund eines Treiberfehlers Ihre Grafikkarte nicht als Aero-kompatibel an oder die Hardware Ihres Notebooks wird als nicht ausreichend angesehen.

Sofern die Grafikkarte DirectX-9-fähig ist, hilft unser kleiner Trick womöglich weiter. Dazu muss die Windows-Registrierung verändert werden.

1. Klicken Sie auf **Start**, tippen Sie **regedit** in das Suchfenster des Startmenüs und klicken Sie auf den gleichnamigen Treffer in der **Programme**-Liste.

2. Klicken Sie sich bis zum Unterpunkt **HKEY_CURRENT_USERS\Software\Microsoft\Windows\DWM** durch.

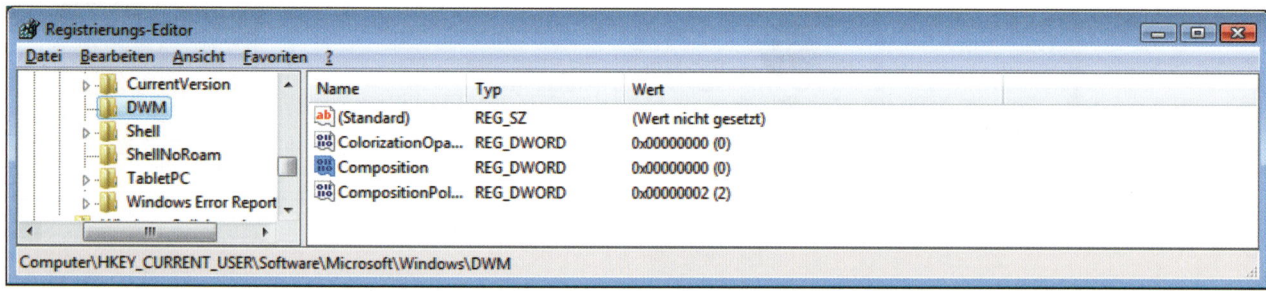

3. Doppelklicken Sie auf den Eintrag **Composition**, ändern Sie den Wert von **0** auf **1** und bestätigen Sie mit **OK**.

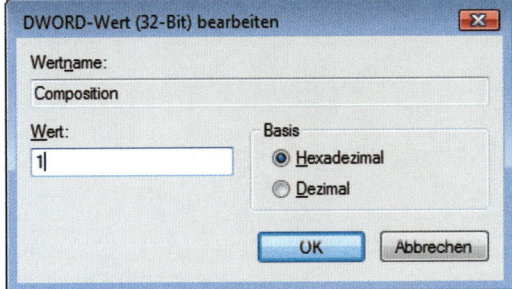

5. Schließen Sie den Registrierungs-Editor.

6. Starten Sie Vista neu, damit die Änderungen wirksam werden.

4. Verfahren Sie in gleicher Weise mit dem Eintrag **CompositionPolicy** und setzen Sie dort den Wert auf **2**.

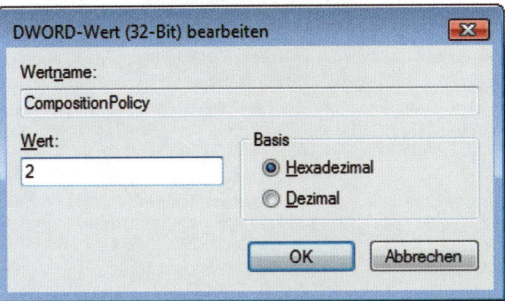

3 A Touch Of Apple

Beneiden Sie auch die Notebook-Konkurrenz der Firma mit dem Apfel um diese tolle animierte Taskleiste, in der die einzelnen Programmsymbole ihre Größe ändern, sobald man mit dem Mauszeiger darüberfährt?

Unter *http://rocketdock.com* bekommen Sie ein an das Apple-Betriebssystem Mac OS X angelehntes sogenanntes Dock kostenlos für Ihr Windows-Betriebssystem. Anhand eines Optionsmenüs können Sie die alternative Taskleiste in Position, Größe, Farbe, Transparenz und zahlreichen weiteren Parametern genau an den eigenen Geschmack anpassen. Ferner lassen sich Desktopsymbole, Dateien und Dokumente bequem per Drag&Drop ins Dock hineinziehen und dort beispielsweise zwischenlagern. Ihr Bildschirm sieht aufgeräumter aus, das Programm arbeitet ressourcenschonend und spendiert Ihrem Notebook das gewisse Etwas.

Ohne Dock

Mit Dock

Das am häufigsten gezeigte Aero-Feature ist Flip 3D, eine 3D-Methode, um zwischen laufenden Anwendungen hin- und herzuschalten. Das liegt in erster Linie daran, dass Flip 3D ein optischer Kracher ist. In einer 3D-Ansicht werden alle offenen Fenster leicht gekippt, versetzt hintereinander dargestellt und können durchgeblättert werden. Dabei ist stets der aktuelle Fensterinhalt zu sehen (Videos laufen beispielsweise weiter). Flip 3D ist quasi der Nachfolger des bekannten Task-Switchers ([Alt]+[⇆]).

1. Drücken Sie [⊞]+[⇆], um Flip 3D zu aktivieren.

2. Halten Sie [⊞] gedrückt und schalten Sie durch wiederholtes Drücken von [⇆] die Fenster durch. Sie können auch mit dem Mausrad durchblättern oder mit [→] oder [↓] ein Fenster vor- bzw. mit [←] oder [Bild↑] ein Fenster zurückschalten.

3. Lassen Sie [⊞] los, um das vorderste Fenster anzuzeigen.

So behalten Sie selbst dann, wenn eine Anwendung mehrfach geöffnet ist, stets den Überblick.

Im Allgemeinen wird aber Flip – der kleine Bruder – meist ausreichen, das mit der bekannten Tastenkombination [Alt]+[⇆] geöffnet wird.

5 Yod'm 3D

Das Programm Yod'm 3D verwandelt Ihren Desktop in einen virtuellen Würfel. Dessen vier Seiten können Sie mit unterschiedlichen Anwendungen frei belegen, womit überladene Desktops endgültig der Vergangenheit angehören sollten.

1. Laden Sie sich die ZIP-Datei unter **http://chsalmon.club.fr/ fichiers/yodm3D/yodm3D.zip** herunter und entpacken Sie diese in einem beliebigen Verzeichnis.

2. Öffnen Sie das entpackte Verzeichnis und starten Sie die Datei **Yodm3D.exe** – eine Installation ist nicht nötig.

Die Steuerung ist einfach, Sie können sie aber auch an Ihre Bedürfnisse anpassen.

- [Strg]+[⇧] lässt den virtuellen Würfel entstehen.

- Mit [Strg]+[⇧]+[↑] verkleinern Sie den Würfel und mit [Strg]+[⇧]+[↓] vergrößern Sie ihn.

- Über die Tastenkombinationen [Strg]+[⇧]+[←] und [Strg]+[⇧]+[→] wird er gedreht.

- Ebenso können Sie [Strg]+[⇧] unten halten und mit gedrückter linker Maustaste den Würfel bewegen.

Auch wir haben uns schon lange einen animierten Desktophintergrund gewünscht. Mit Vista bekommt man dieses Feature nun kostenlos. Vorausgesetzt, man hat eine Aero-fähige Grafikkarte, die teure Ultimate-Version und wendet einen kleinen Trick an. DreamScenes, so nennt sich dieses Extra, ermöglicht es, kleine Endlosvideos (im WMV- und MPEG-Format) als Desktophintergrund zu benutzen.

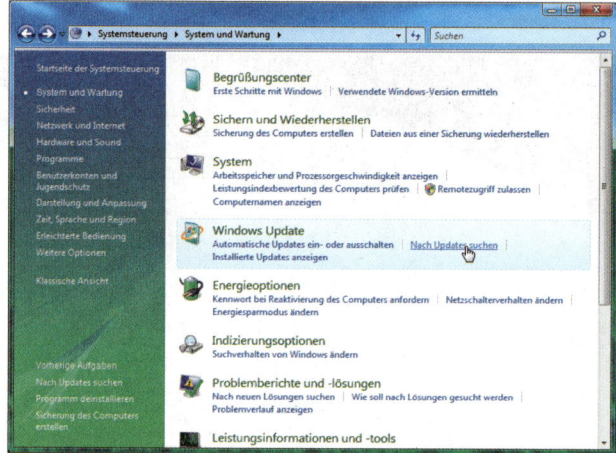

DreamScenes befindet sich gegenwärtig noch in einer Testphase und ist nur als Vorabversion für Nutzer einer englischen Ultimate-Version verfügbar. Mit einem kleinen Trick kommt man aber auch mit der deutschen Version in den Genuss.

1. Klicken Sie auf **Start/Systemsteuerung**, im Folgedialog auf den Eintrag **System und Wartung** und schließlich auf **Nach Updates suchen**.

2. Wählen Sie im Bereich **Windows Update** den Eintrag **Verfügbare Updates anzeigen** aus.

3. Setzen Sie ein Häkchen vor **Language Pack für Englisch** und klicken Sie auf **Installieren**.

4. Wiederholen Sie Schritt eins.

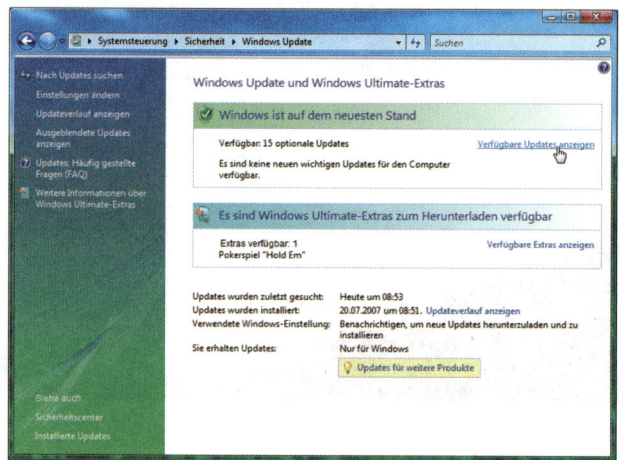

5. Diesmal werden DreamScenes sowie ein Content Pack als verfügbare **Ultimate-Extras** angezeigt.

6. Installieren Sie beide Extras und booten Sie, falls nötig, neu.

7. Klicken Sie mit rechts auf den Desktop und wählen Sie **Anpassen** aus.

8. Wählen Sie den Eintrag **Desktophintergrund**.

9. Markieren Sie dort **Windows DreamScenes** in der Dropdown-Liste.

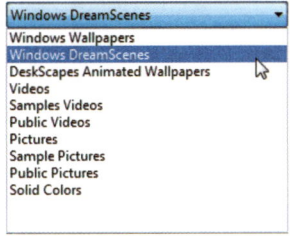

10. Suchen Sie sich eines der verfügbaren Videos aus und doppelklicken Sie darauf, um es als Desktophintergrund zu verwenden.

Tipp

Wer jetzt auf den Geschmack gekommen ist, sich aber an der mangelnden Videoauswahl stört, kann unter *www.stardock. com/products/deskscapes/downloads.asp* das ebenfalls kostenlose Programm DeskScapes herunterladen. Auf den Websites *http://dream.wincustomize.com/index.aspx* und *www.vista-dreams.org* lassen sich dann jede Menge Hintergrundvideos finden – vom Matrix-Stil bis hin zur nächtlichen Skyline einer Großstadt.

Der Start von Vista ist zwar wesentlich schneller geworden, aber auf die Dauer ist es ganz schön öde, sich einen schwarzen Bildschirm anzuschauen. Dem können Sie leicht abhelfen, zumal es bereits einen experimentellen Bootscreen gibt, der nur auf seine Aktivierung wartet.

1. Drücken Sie ⊞+R, geben Sie **msconfig** in den Dialog **Ausführen** ein und klicken Sie auf Enter.

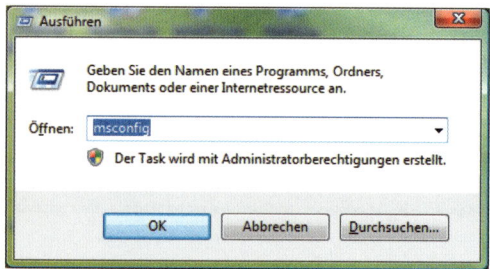

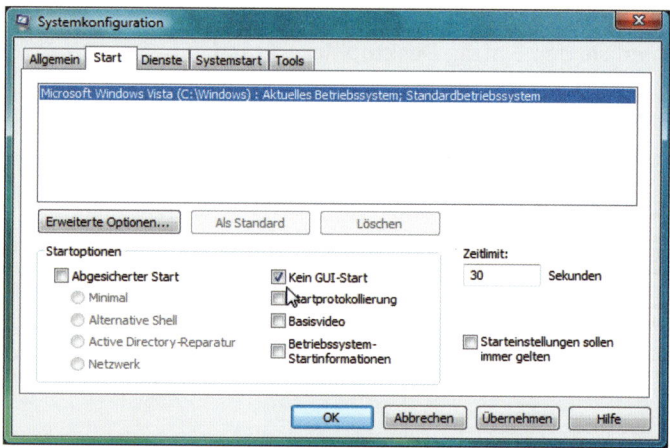

2. Öffnen Sie das Register **Start**, setzen Sie ein Häkchen vor **Kein GUI-Start** und bestätigen Sie mit **OK**.

3. Starten Sie Windows neu und staunen Sie.

Tipp

Sind Sie des Bootscreens überdrüssig geworden und sehnen sich nach dem schwarzen Bildschirm zurück, entfernen Sie das Häkchen vor **Kein GUI-Start** wieder.

Natürlich können Sie auch eigene Bilder für den Bootscreen auswählen. Dazu müssen die verwendeten Bilder zunächst in den Maßen 1024 x 768 Pixel und 800 x 600 Pixel im BMP-Format vorliegen und jeweils eine Bittiefe von 24 haben.

Zuerst sollten Sie eine Sicherungskopie der Ursprungsdatei erstellen.

1. Öffnen Sie im Explorer den Ordner **C:\Windows\System32\de-DE**.

2. Kopieren Sie die Datei **winload.exe.mui** in die Zwischenablage und speichern Sie deren Kopie an einem beliebigen Platz ab.

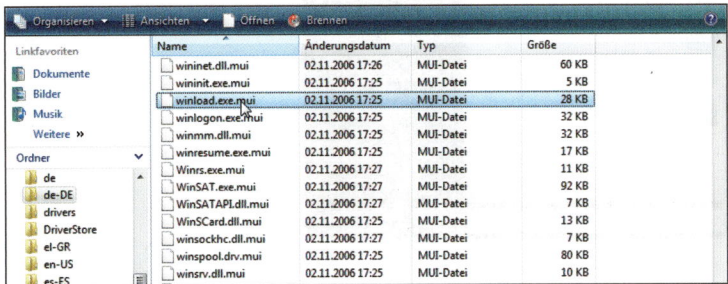

3. Laden Sie sich den Vista Boot Logo Generator unter ***www.bt-internet.com/~danieldsmith/VistaBootLogoGeneratorSetup.exe*** herunter und installieren Sie das Programm.

4. Starten Sie die Anwendung.

5. Klicken Sie auf **Browse for image** und steuern Sie die 800 x 600 Pixel-Version des gewünschten Bildes an.

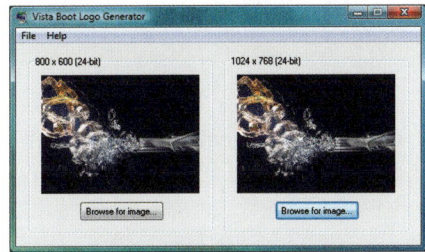

6. Wiederholen Sie den Vorgang für die 1024 x 768-Version.

7. Wählen Sie im Menü **File/Save Boot Screen File As**.

8. Ersetzen Sie im Verzeichnis **Windows\System32\de-DE** die alte Version der **winload.exe.mui**.

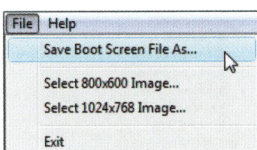

9. Starten Sie Vista neu.

Tipp

Das Zurückkehren zum Originalzustand wird dadurch leichter.

Tipp

Je nach Art des verwendeten Benutzerkontos müssen Sie evtl. die Zugriffsberechtigung der **winload.exe.mui** anpassen.

Genau genommen geht es um das kleine Benutzerbild oben rechts im Startmenü. Mithilfe einer kleinen, schlanken Anwendung bewegt es sich langsam von rechts nach links und zurück. 3DUserPic erfüllt zwar keinen tieferen Sinn, sieht dafür aber recht cool aus. Sie bekommen es kostenlos auf *http://mpj. tomaatnet.nl/Ave3dUserPic.zip* und können es nach dem Download in einem beliebigen Verzeichnis entpacken.

1. Öffnen Sie den betreffenden Ordner und starten Sie die Datei **3duserpic.exe**.

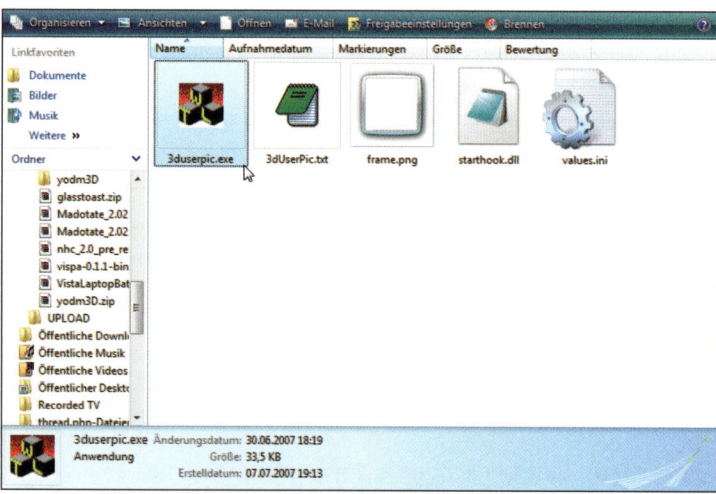

2. Klicken Sie auf **Start** und sehen Sie sich die sanften Bewegungen Ihres Benutzerporträts an.

Tipp

Übrigens gab es in den 4xxx-Alphaversionen von Windows Vista ein rotierendes Benutzerporträt im Startmenü.

Die Animation wirkt sich ebenso auf die Ordnerpunkte im rechten Bereich des Startmenüs aus.

Zusätzlich funktioniert das Ganze auch mit den Programmsymbolen der kürzlich geöffneten Anwendungen.

3. Um dem Startmenü sein altes Aussehen zurückzugeben, doppelklicken Sie erneut auf **3duserpic.exe**.

4. Klicken Sie auf **Stop** und schließen Sie das Fenster mit **Quit**.

Zweifellos gelungen ist der optische Auftritt der Vista Aero-Oberfläche. Ein Teil davon sind die transparenten Fensterrahmen, durch die die dahinterliegenden Anwendungen zu sehen sind. Häufig hörten wir, dass gerade dieses Feature „stört", alles andere dagegen angezeigt werden soll.

Die transparenten Fensterrahmen lassen sich ohne großen Aufwand mit Vista-Bordmitteln abschalten oder in ihrer Intensität verändern.

1. Klicken Sie mit der rechten Maustaste in einen leeren Bereich des Desktops und wählen Sie **Anpassen** aus dem Menü.

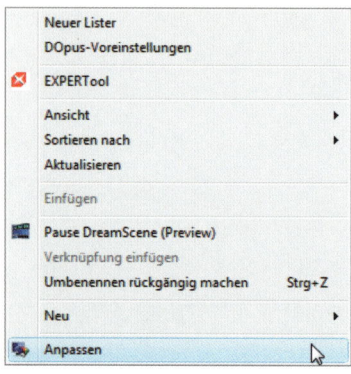

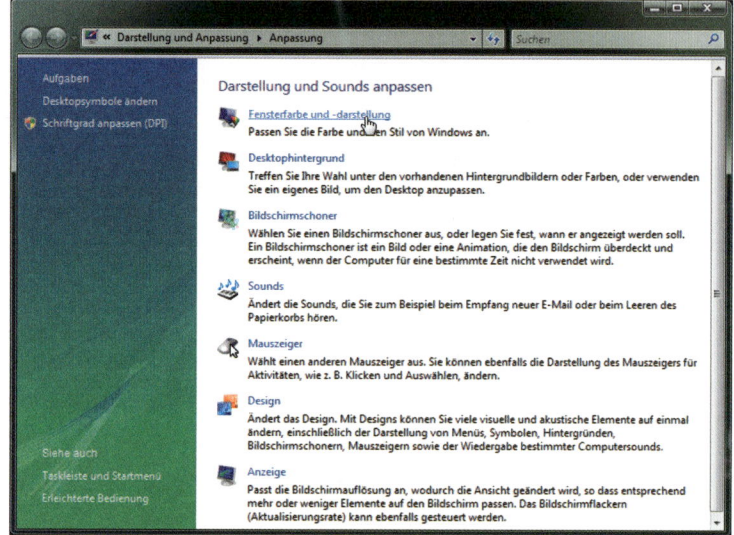

2. Wählen Sie den Menüpunkt **Fensterfarbe und -darstellung**.

3. Entfernen Sie das Häkchen aus der Checkbox vor **Transparenz aktivieren**.

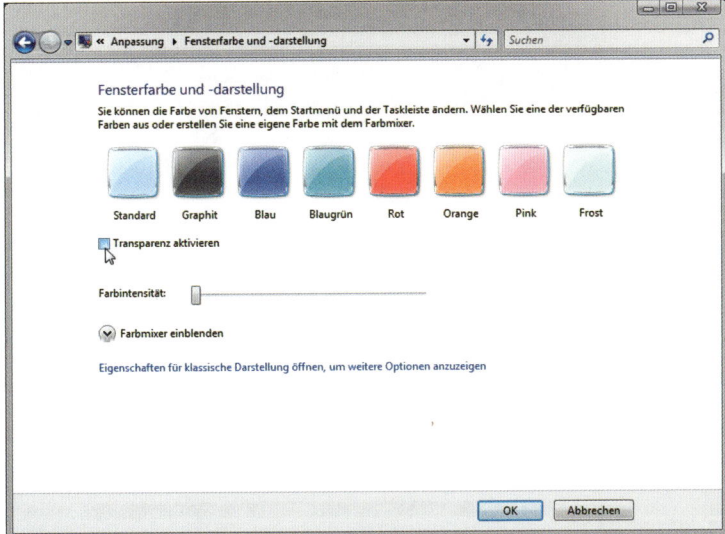

Alternativ können Sie auch die Stärke der Transparenz mit dem Schieberegler **Farbintensität** Ihren persönlichen Bedürfnissen anpassen.

Windows bringt viele Schriftarten und Symbole mit, doch wollten Sie nicht schon mal eine eigene Schriftart bzw. ein eigenes Symbol? Nun, dazu benötigen Sie keine teure Software, sondern nur Vista. Denn mit einem recht unbekannten Tool von Windows können auch Sie sich eine eigene Schriftart basteln.

Das „Geheimtool" nennt sich **Editor für benutzerdefinierte Zeichen**.

1. Klicken Sie auf **Start/Ausführen**.

2. Geben Sie in das **Ausführen**-Fenster **eudcedit** ein und klicken Sie auf **OK.**

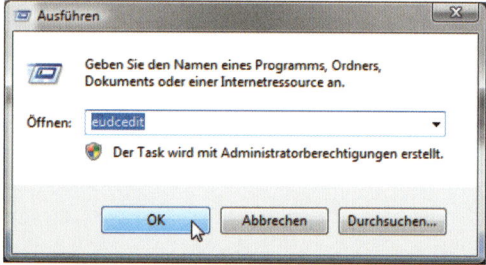

3. Wählen Sie einen Code aus und bestätigen Sie mit **OK**.

4. Wählen Sie aus der linken Werkzeugleiste das gewünschte Tool aus (wie bei Paint) und schon können Sie Ihr gewünschtes Zeichen oder auch Symbol zeichnen.

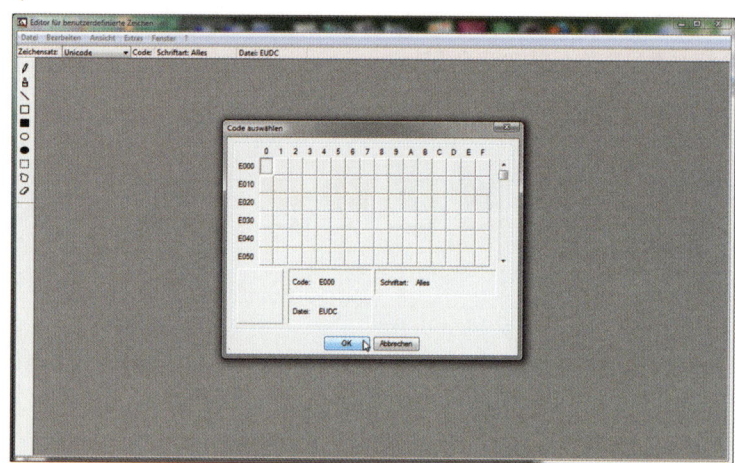

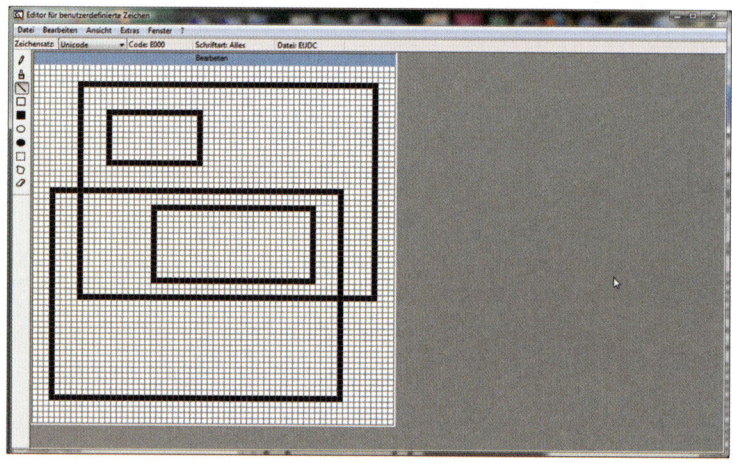

Ist Ihr Zeichen oder Symbol fertig gezeichnet, müssen Sie es noch mit einer oder mehreren Schriftarten verbinden.

5. Wählen Sie dazu im Programm-Menü **Datei/Schriftart-verknüpfungen**.

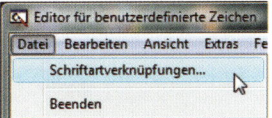

Sie können das Zeichen oder Symbol entweder allen Schriftarten oder nur einigen bestimmten Schriftarten zuweisen.

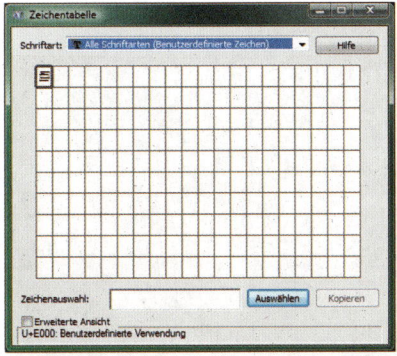

6. Speichern Sie Ihr Zeichen über das Menü **Bearbeiten/Zeichen speichern**.

Tipp

Möchten Sie ein bestehendes Zeichen bearbeiten (z. B. das „B" der Schriftart Verdana), kopieren Sie es über **Bearbeiten/Zeichen kopieren** und speichern es nach dem Bearbeiten wieder.

7. Um weitere Zeichen zu erstellen, wählen Sie **Bearbeiten/Code auswählen**. Dort sehen Sie auch alle bisher erstellten Zeichen. Wenn Sie jetzt Ihr Zeichen verwenden möchten, geschieht das über die **Zeichentabelle** in Windows.

8. Klicken Sie im Startmenü auf **Alle Programme/Zubehör/Systemprogramme/Zeichentabelle**.

9. Wählen Sie im Drop-down-Menü **Schriftart** den Eintrag **Alle Schriftarten (Benutzerdefinierte Zeichen)**.

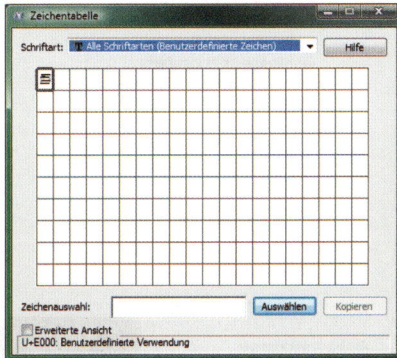

Nun können Sie die gewünschten Zeichen auswählen und diese mit einem Klick auf **Kopieren** z.B. in Word verwenden.

Das Folgende ist eher als Spielerei denn als Tipp anzusehen: Ein bewegter Desktophintergrund mit Seifenblasen. Dazu wird der Bildschirmschoner **Bubbles.scr** zweckentfremdet.

1. Geben Sie in das Suchfeld des Startmenüs als Suchbegriff **cmd** ein, klicken Sie mit der rechten Maustaste auf das gefundene Programm und wählen Sie im Menü **Als Administrator ausführen** aus.

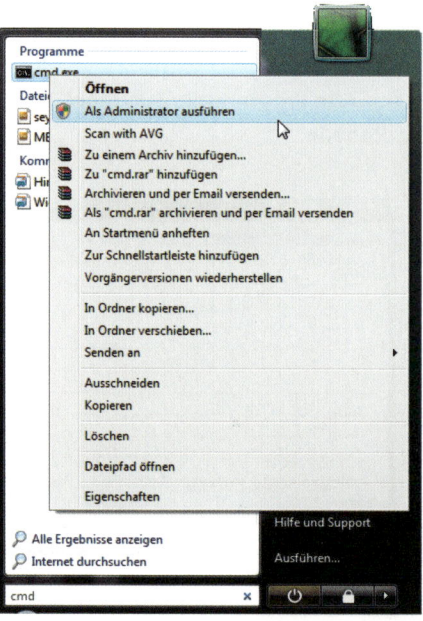

2. Aktivieren Sie Ihre DOS-Kenntnisse und navigieren Sie in der **Eingabeaufforderung** zum Ordner **Windows\System32**.

3. Geben Sie **Bubbles.scr /p 65552** ein und drücken Sie ⏎.

Statt **Bubbles.scr** können Sie auch einen anderen Bildschirmschoner angeben, Sie haben dann allerdings keine Seifenblasen. ☺

Der Trick besteht darin, dass über den Parameter **/p** eine sogenannte hWnd-Nummer angegeben wird. Die hWnd ist eine eindeutige, ganzzahlige Zugriffsnummer für die Anordnung der Objekte in einer Betriebsumgebung. Der Wert **65552** steht für den Windows-Desktop. Gibt man diesen nun mit **/p 65552** an, so wird für den Bildschirmschoner keine neue hWnd erzeugt, sondern die bereits vorhandene genutzt.

4. Soll der Bildschirmschoner wieder vom Desktop entfernt werden, müssen Sie den Prozess über den Task-Manager beenden.

Vom Effekt her war das Vorausgegangene ja nicht schlecht, aber leider blieb die **Eingabeaufforderung** auf dem Desktop und die Animation ließ sich nur über den Task-Manager beenden. Wir haben aber noch eine bessere Variante auf Lager – fast schon wie DreamScenes ohne Ultimate.

1. Laden Sie sich die Desktopanimationen auf *www.installation-excellence.com/downloads/AnimatedDesktop.zip* von Victory Technologies herunter. Download und Tool sind natürlich kostenlos.

2. Entpacken Sie die Datei in ein beliebiges Verzeichnis. Eine gesonderte Installation ist nicht nötig.

3. Starten Sie das Programm per Doppelklick auf **AnimatedDesktop.exe**.

4. Wählen Sie den gewünschten Bildschirmschoner für Ihren Desktophintergrund aus und klicken Sie auf **Apply**.

5. Um das Programm gleich zusammen mit Windows zu starten, setzen Sie ggf. ein Häkchen vor **Start with Windows**.

6. Setzen Sie ein weiteres Häkchen vor **Start minimized to the Taskbar Notification Area** und schließen Sie das Dialogfenster, um das Programm in der Taskleiste verschwinden zu lassen.

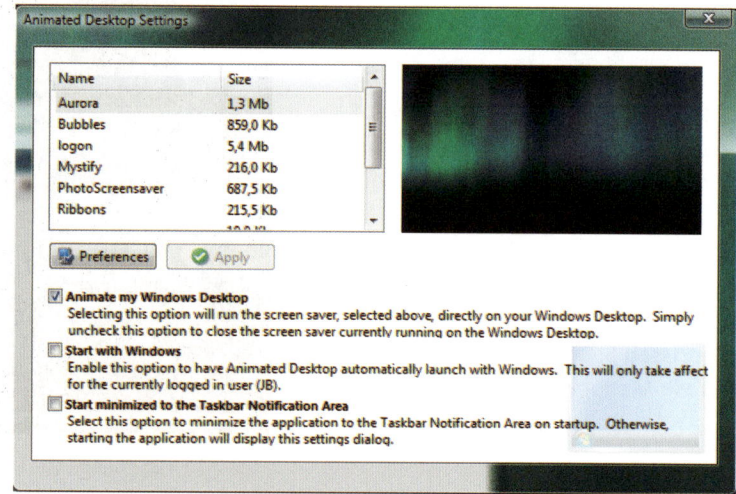

7. Wollen Sie die Anwendung beenden, klicken Sie mit der rechten
Maustaste auf das Symbol in der
Taskleiste und wahlen **Close** aus
dem Menü.

Der Bildschirmschoner verdeckt
zwar die Desktopsymbole, was sich
aber durch das Dock verschmerzen
lässt. Der Zugriff auf Startmenü und
Programme funktioniert ebenfalls.
Ja, fast schon wie DreamScenes –
zumindest beinahe.

Möchten Sie Windows Vista einen ganz persönlichen Touch geben? Für diesen Zweck hat Manuel Kübler ein kleines Werkzeug geschrieben, mit dem Sie ein eigenes Logo im Bildformat **BMP** mit den Maßen 120 x 120 Pixel in die Systemeigenschaften einfügen und wahlweise auch einen eigenen Text schreiben können.

Zu den **Systemeigenschaften** gelangen Sie per Rechtsklick auf **Computer**, z. B. im Startmenü und Auswahl des Punkts **Eigenschaften**.

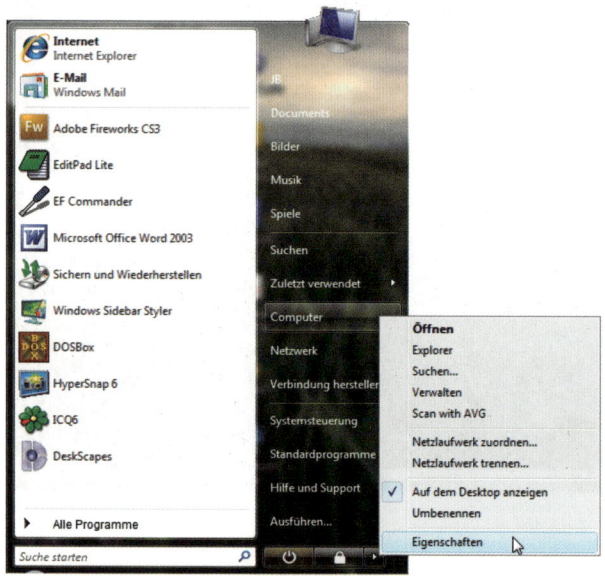

1. Laden Sie sich das kleine Programm von **www.kuebler-software.aufwaerts.de/downloads/vista_oem_info/XP_Vista_OEM_Info_4.00.zip** herunter.

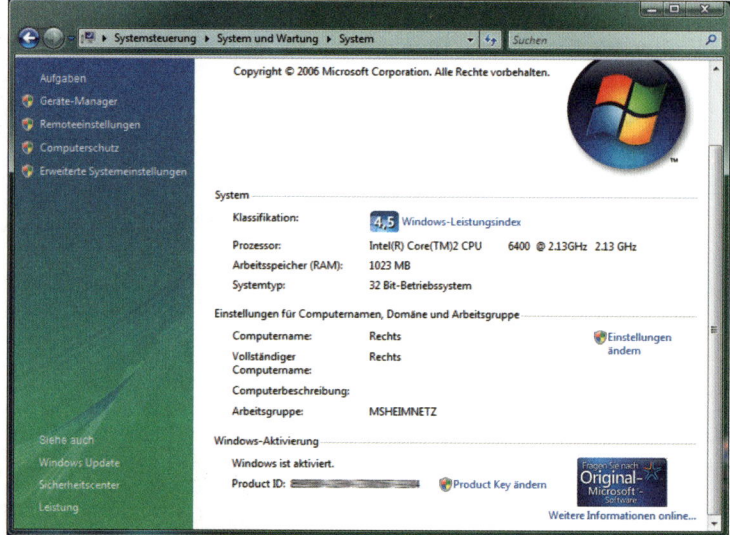

2. Entpacken Sie die Anwendung und starten Sie sie mit der Datei **XP_Vista_OEM.exe**.

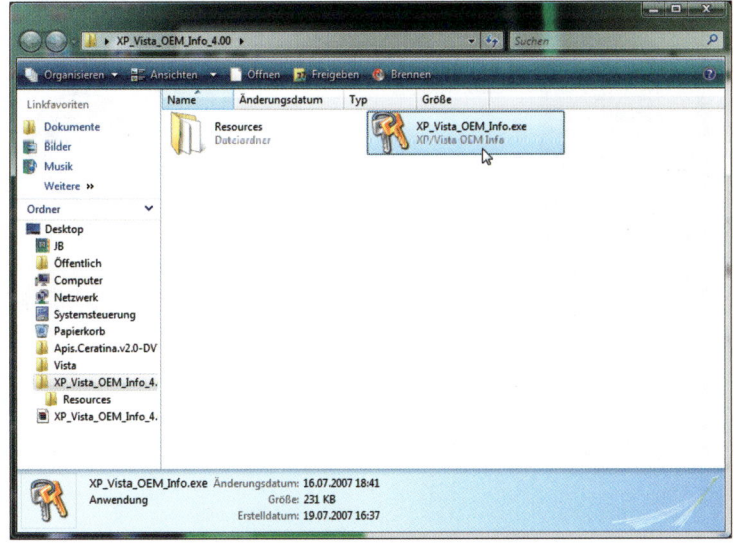

3. Klicken Sie auf **Logo auswählen** und steuern Sie im Explorer Ihr Logo an. Tippen Sie optional weitere Informationen in die Eingabefelder.

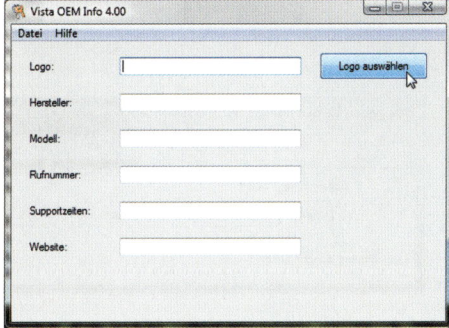

4. Wählen Sie im Programm-Menü **Datei/Exportieren** aus.

5. Geben Sie der Registrierungsdatei einen aussagekräftigen Namen und klicken Sie auf **Speichern**.

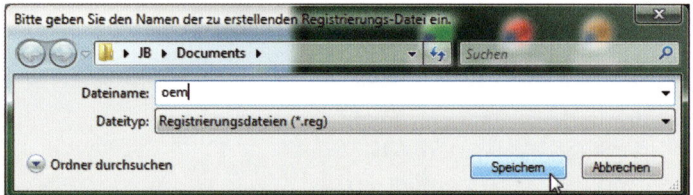

Sie erhalten eine Erfolgsmeldung.

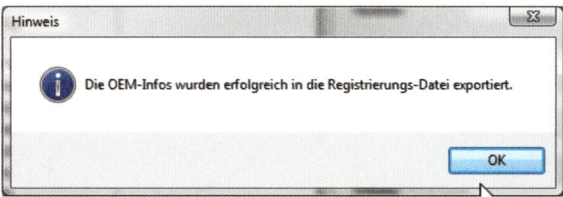

6. Öffnen Sie erneut die **Systemeigenschaften** und begutachten Sie das Ergebnis.

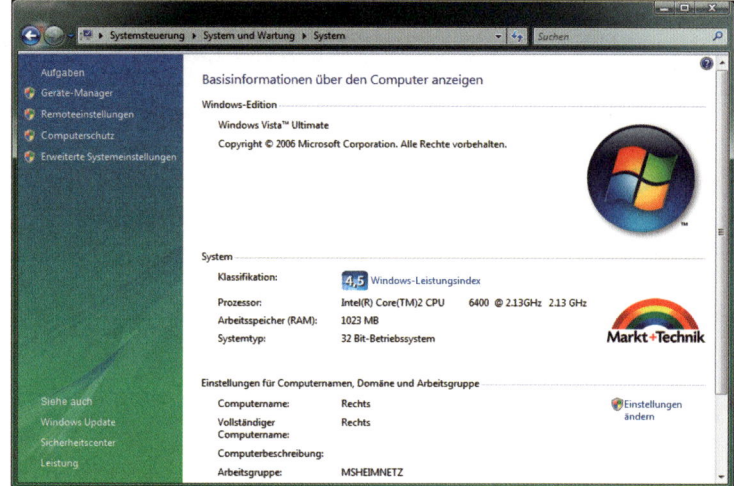

Die OEM-Informationen lassen sich auch manuell mit dem Registrierungs-Editor im Verzeichnis **HKEY_LOCAL_MACHINE\ SOFTWARE\Microsoft\Windows\CurrentVersion\OEMInforma- tion** erstellen.

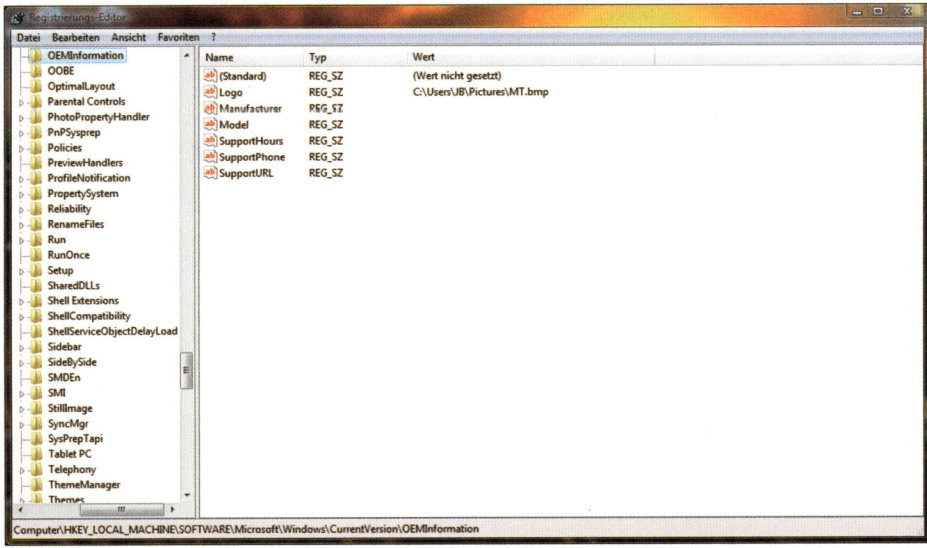

Auf Achse

Mit einem Notebook ist man mobil! Man hat seinen Arbeitsplatz gewissermaßen immer bei sich und ist von Steckdosen und Telefonanschlüssen unabhängig. Dank drahtloser Netzwerke lässt sich von vielen Orten aus Kontakt zum Internet herstellen, um E-Mails zu empfangen oder zu verschicken und um sich mit wichtigen Informationen zu versorgen. In diesem Abschnitt demonstrieren wir Ihnen unter anderem das Einloggen in WLANs. Ein weiterer Punkt ist die Synchronisierung von Daten und auch die leidige Akkuproblematik kommt nicht zu kurz.

Verfügt Ihr Notebook über einen WLAN-Adapter und ist dieser auch eingeschaltet, so können Sie vollkommen unabhängig vom Standort beispielsweise über Hotspots eine Verbindung zu einem Netzwerk aufbauen.

1. Klicken Sie rechts in der Taskleiste auf das Symbol Ihres WLAN-Adapters und wählen Sie aus dem Menü **Verbindung mit einem Netzwerk herstellen**.

Die verfügbaren Netzwerke werden aufgelistet.

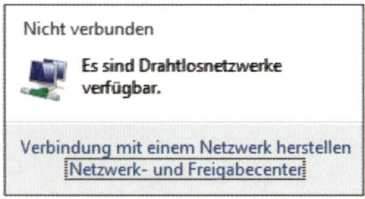

2. Markieren Sie das gewünschte und bestätigen Sie per Klicken auf **Verbindung herstellen.**

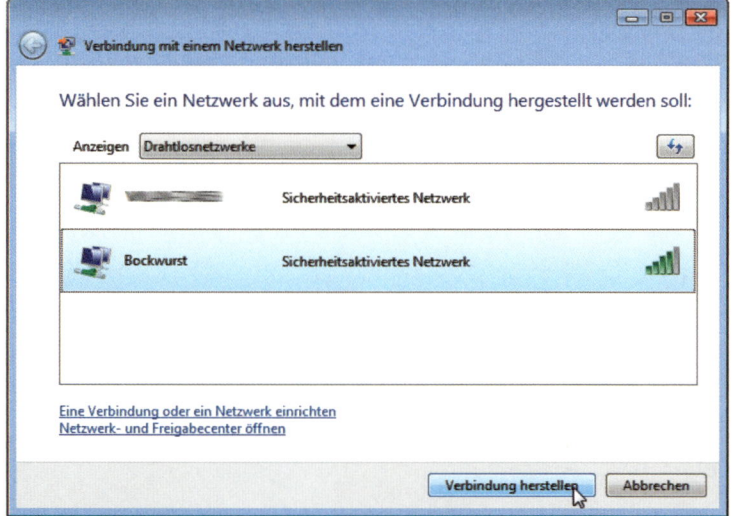

3. Tragen Sie nun, falls erforderlich, den Sicherheitsschlüssel ein, den Sie beispielsweise vom Betreiber des Netzwerks, an der Rezeption des Hotels usw. bekommen haben, und klicken Sie auf **Verbinden**.

Schon nach kurzer Zeit ist die Verbindung hergestellt und Sie können im Internet surfen.

4. Entscheiden Sie durch Setzen der entsprechenden Häkchen, ob Sie das Netzwerk speichern wollen und/oder die Verbindung damit automatisch aufgebaut werden soll.

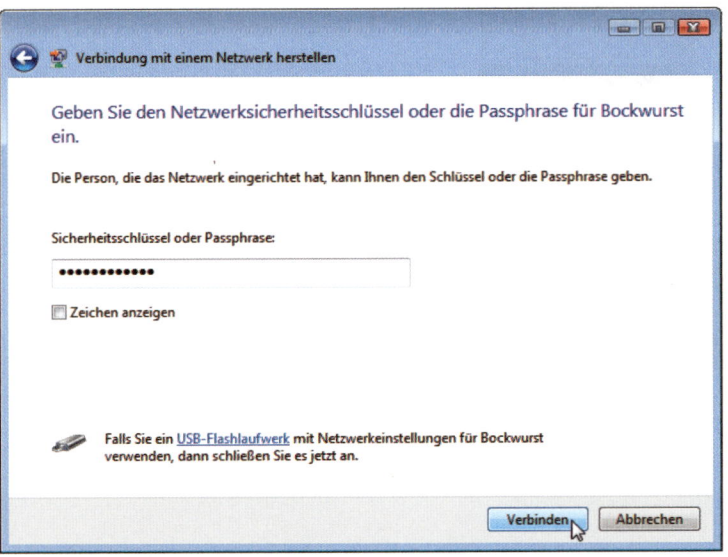

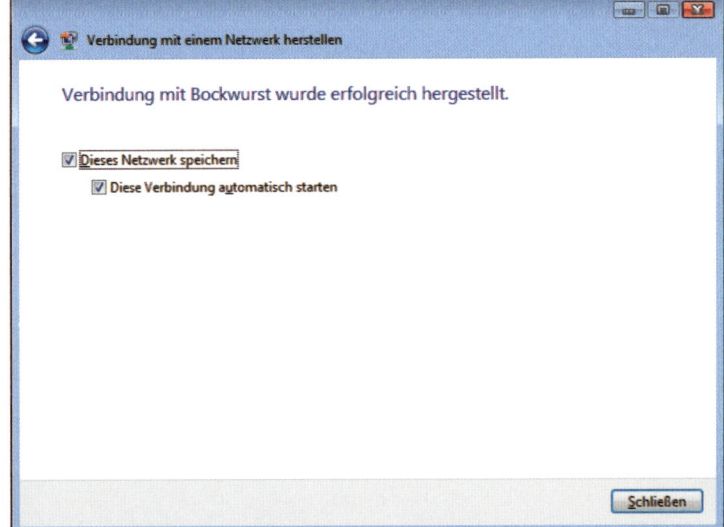

Mit der Minianwendung **Währungsumrechner** können Sie viele Landeswährungen über den Euro berechnen. Ein praktischer Helfer für alle, die im eurofreien Ausland unterwegs sind.

1. Klicken Sie oben in der Windows-Sidebar auf das **Plus**-Symbol.

2. Ziehen Sie aus dem Dialogfenster mit den Minianwendungen den **Währungsumrechner** an die gewünschte Stelle in der Sidebar.

3. Tippen Sie den Betrag in das obere Feld ein.

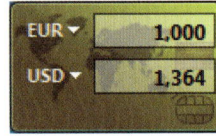

4. Wählen Sie über die Pfeilsymbole für beide Felder die gewünschte Landeswährung aus.

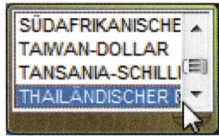

Man bekommt ganz schön viele thailändische Baht für einen Euro.

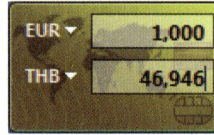

In der kleinsten Vista-Version fehlt leider die Synchronisierungsmöglichkeit zwischen mehreren Rechnern im Netzwerk. Hier leistet die Freeware **Allway Sync** gute Dienste, die Sie kostenlos unter ***http://allwaysync.com/download.html*** bekommen.

1. Starten Sie das Programm und geben Sie über die Schaltfläche **Browse** die zu synchronisierenden Ordner an.

2. Klicken Sie unten links auf **Analyze**, um die nicht übereinstimmenden Dateien zu finden.

3. Starten Sie dann mit Sychronize die Aktualisierung, wobei Dateien, die in dem einen Ordner fehlen, dorthin kopiert werden und natürlich umgekehrt.

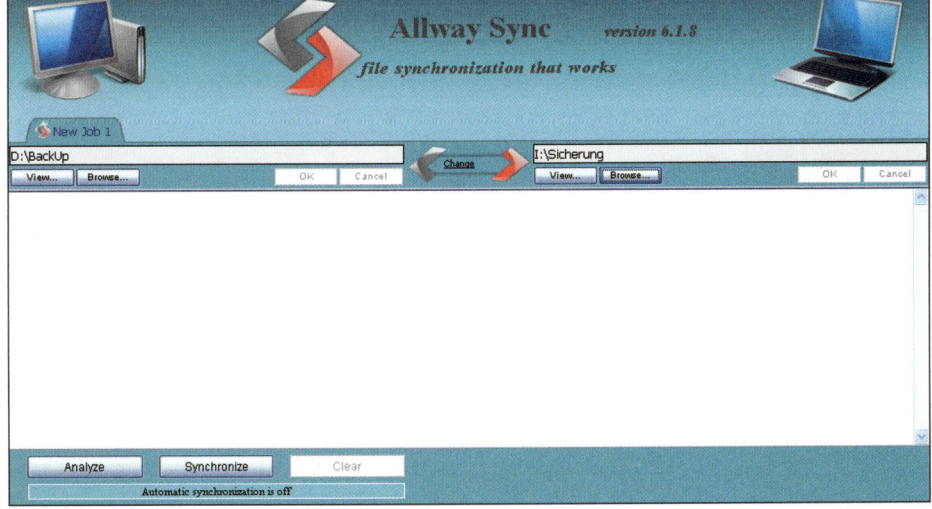

Termine und Daten mit dem PC synchronisieren

Sie haben ein Gerät, mit dem sich Daten zwischen Ihrem Heim-PC und Ihrem Notebook austauschen lassen? Prima, denn die Synchronisierungssoftware hat Vista schon an Bord.

1. Klicken Sie im **Startmenü** auf **Systemsteuerung** und wählen Sie den Punkt **Mobil-PC** aus.

2. Klicken Sie auf **Synchronisierungscenter**.

   Voraussetzung für die automatische Synchronisation von Dateien und Ordnern ist eine sogenannte Synchronisierungs-Partnerschaft.

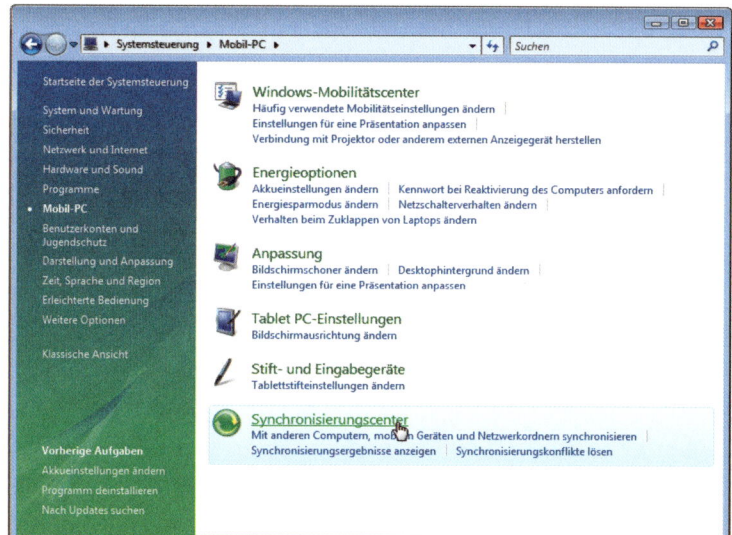

3. Verbinden Sie ein entsprechendes Gerät (z. B. einen USB-Stick) mit dem Notebook und wählen Sie links im **Aufgaben**-Menü **Synchronisierungs-Partnerschaften einrichten** aus.

In einer Liste werden nun sämtliche Geräte aufgelistet.

4. Per Doppelklick auf den gewünschten Eintrag richten Sie die Partnerschaft ein.

Je nach Art der eingerichteten Partnerschaft öffnet sich das entsprechende Austauschprogramm und Sie können festlegen, welche Dateien und/oder Ordner zwischen Notebook und Synchronisierungsgerät ausgetauscht werden sollen.

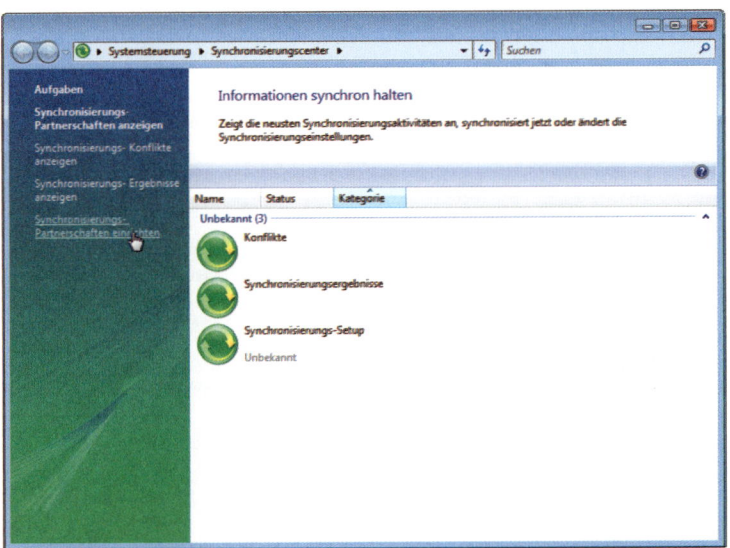

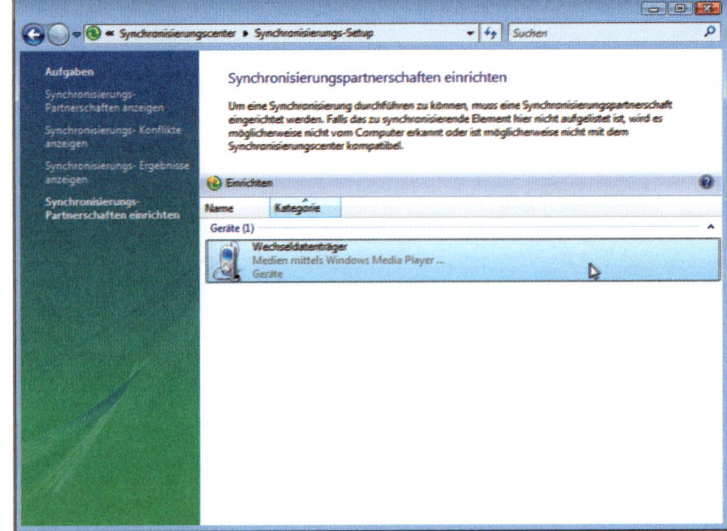

Sie können Ihre Einstellungen von Ihrem Heim-PC auf Ihr Notebook übertragen und so unterwegs mit den gleichen Einstellungen arbeiten und surfen. Diesen **Windows-EasyTransfer** starten Sie entweder aus dem Begrüßungscenter heraus oder über **Start/Alle Programme/Zubehör/Systemprogramme/Windows-EasyTransfer**.

Im **Willkommen**-Fenster erfahren Sie, wie Ihre Daten übertragen werden, und können sich über die hierbei unterstützten Windows-Versionen informieren.

1. Klicken Sie auf **Weiter**.

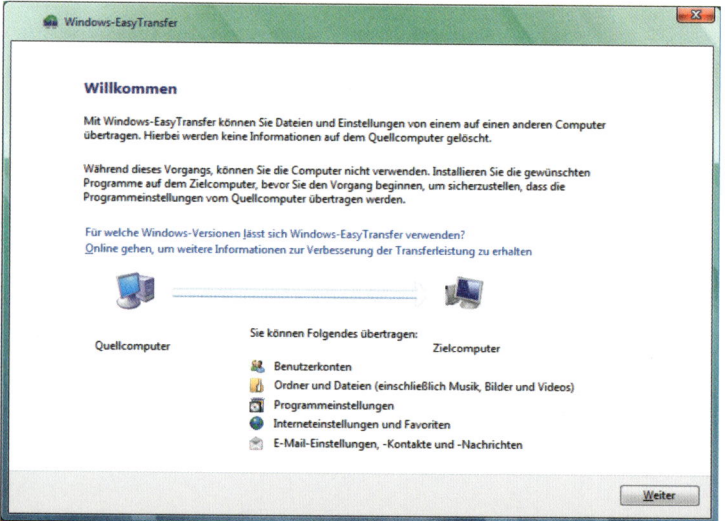

2. Entscheiden Sie durch Klicken auf den entsprechenden Eintrag, ob ein neuer Transfer gestartet oder ein bereits gestarteter fortgesetzt werden soll.

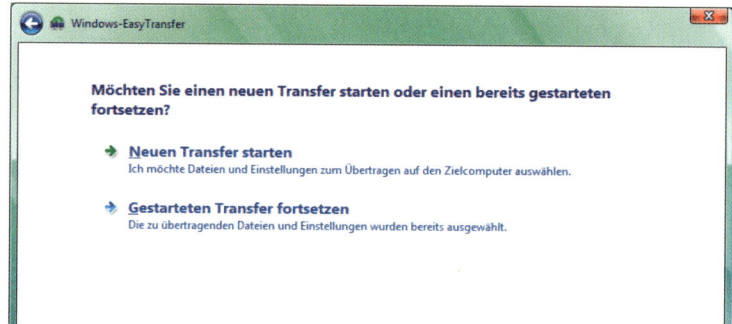

3. Geben Sie dem Programm an, ob Sie sich am **Zielcomputer** (Datenempfänger) oder am **Quellcomputer** (Datenversender) befinden.

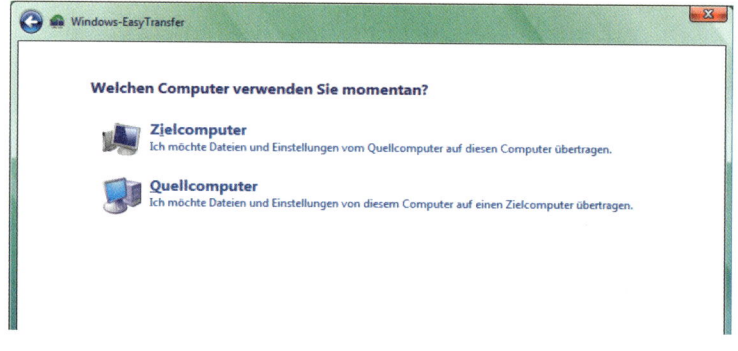

Hinweis

Windows-EasyTransfer muss für die Datenübertragung sowohl auf dem Ziel- als auch auf dem Quellrechner laufen.

4. Befinden Sie sich am Quellrechner, können Sie ihn über ein spezielles EasyTransfer-Kabel mit Ihrem Notebook verbinden. Steht keines zur Verfügung, lassen Sie sich per Klick auf **Nein, weitere Optionen anzeigen** über weitere Übertragungsmöglichkeiten informieren.

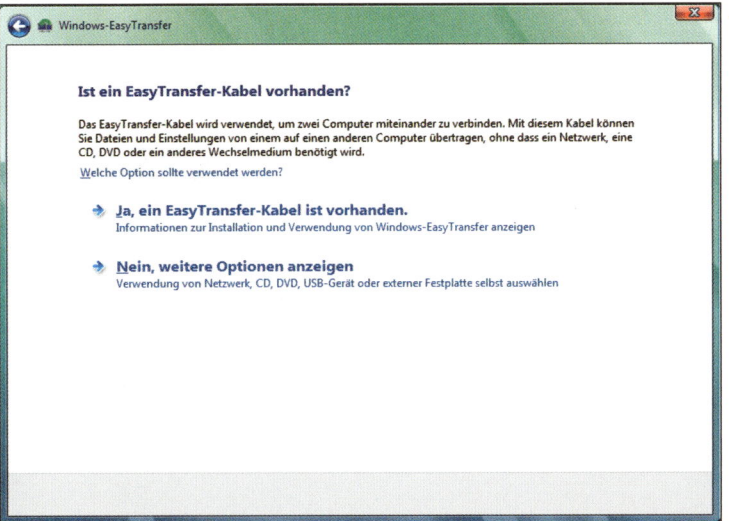

5. Wählen Sie die gewünschte Übertragungsform aus.

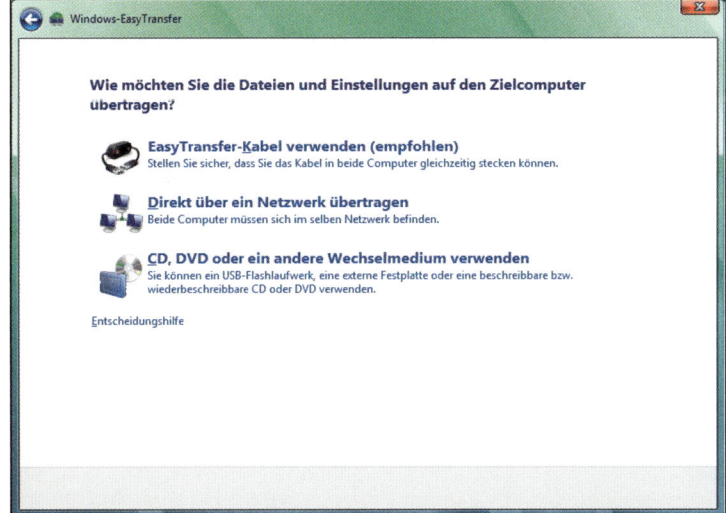

Ist die Verbindung zwischen beiden Computern hergestellt, können Sie gezielt auswählen, welche Einstellungen übertragen werden sollen.

Die Aero-Oberfläche sieht zwar edel aus, benötigt aber auch eine Menge an Ressourcen, sprich Strom. Wen wundert es also, dass sich der Akku des Notebooks mit Windows Vista wesentlich schneller als bei einer Vorgängerversion leert. Obwohl Microsoft behauptet, Vista würde im direkten Vergleich mit Windows XP schonender und intelligenter mit den Energieressourcen umgehen, erleben Notebook-Besitzer das genaue Gegenteil: Der Stromverbrauch schießt rasant in die Höhe und die Akkulaufzeiten reduzieren sich deutlich. Die einzige Lösung: Die Aero-Oberfläche ausschalten.

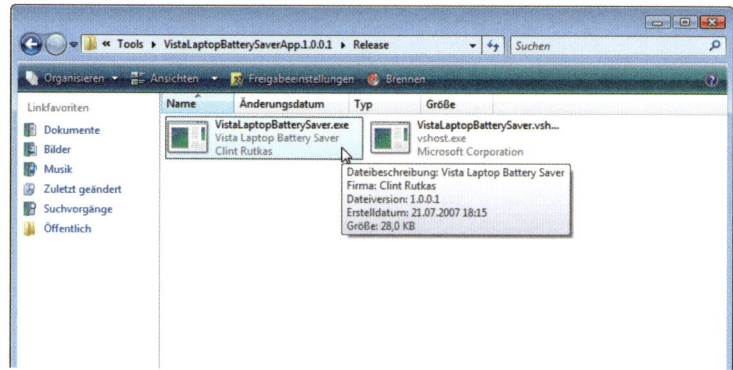

Das können Sie natürlich jedes Mal von Hand tun, aber Clint Rutkas hat eine kleine Anwendung geschrieben, die Ihnen das abnimmt. Sein Vista Laptop Battery Saver schaltet die Aero-Oberfläche aus, sobald Ihr Notebook auf Akkubetrieb umschaltet.

1. Laden Sie sich das Tool auf *http://betterthaneveryone.com/code/VistaLaptopBatterySaverApp.1.0.0.1.zip* herunter.

2. Entpacken Sie die Datei in ein beliebiges Verzeichnis.

3. Öffnen Sie den Ordner **Release** und starten Sie die Datei **VistaLaptopBatterySaver.exe**.

Das Programm startet unten rechts in der Taskleiste.

4. Klicken Sie mit der rechten Maustaste auf das Programmsymbol in der Taskleiste und setzen Sie ein Häkchen vor **Enable**.

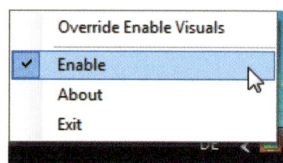

Die Akku-Sparfunktion ist jetzt scharf.

Tamir Khason aus Israel geht noch einen Schritt weiter. Bei ihm wird neben Aero auch die Sidebar ausgeschaltet. Seinen Vista Battery Saver bekommen Sie auf *http://blogs.microsoft.co.il/files/folders/13285/download.aspx*.

Nach der Installation finden Sie die Startdatei im Verzeichnis **.../Programme/SharpSoft**.

1. Starten Sie die Anwendung per Doppelklick auf **VistaBatterySaver.exe**.

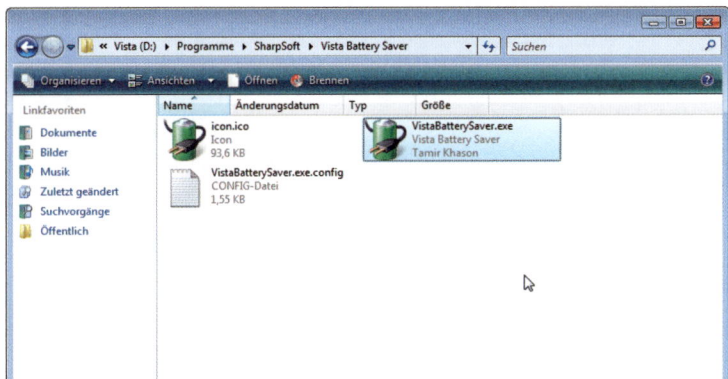

2. Klicken Sie mit der rechten Maus-taste auf das Programmsymbol in der Taskleiste und wählen Sie den Punkt **Open** aus.

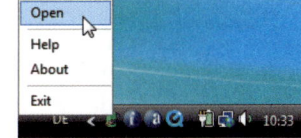

3. Legen Sie durch Aktivieren der jeweiligen Optionen fest, ob Aero bzw. die Sidebar bei Akkubetrieb ständig deaktiviert sein soll (**Always deactivate on battery**) oder erst ab einem bestimmten Prozentsatz der Akkuleistung (**Deactivate when battery level is less then**).

4. Setzen Sie ein Häkchen vor **Start Battery Saver when Windows starts** und schließen Sie das Fenster mit **Apply**.

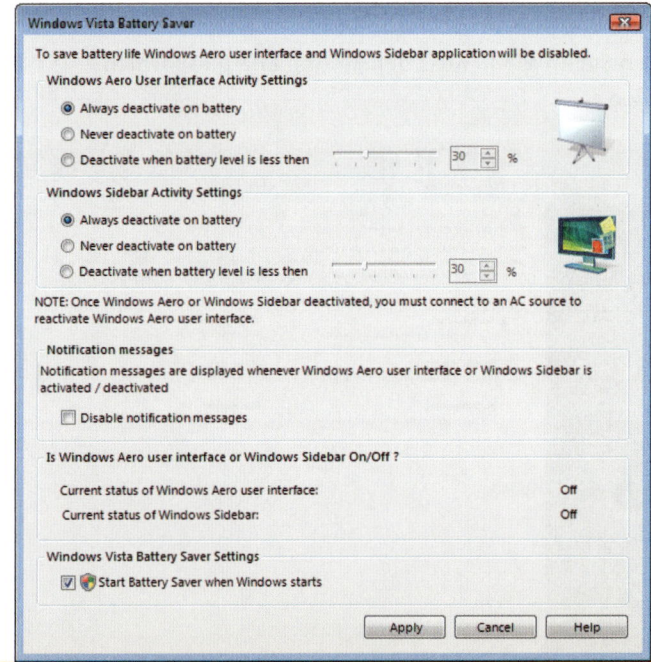

Alle drei voreingestellten Energiesparpläne sind keine ultimativen Lösungen. Sie können sich problemlos einen eigenen Plan erstellen, indem Sie einfach einen bestehenden „kopieren" und seine Einträge Ihren Wünschen gemäß verändern. Angenommen, Sie wollen mehr Akkuenergie sparen als im Modus **Ausbalanciert** ...

1. Klicken Sie mit rechts auf das Akkusymbol rechts unten in der Taskleiste und wählen Sie im Menü **Energieoptionen** aus.

2. Wählen Sie im Menü links den Eintrag **Energiesparplan erstellen**.

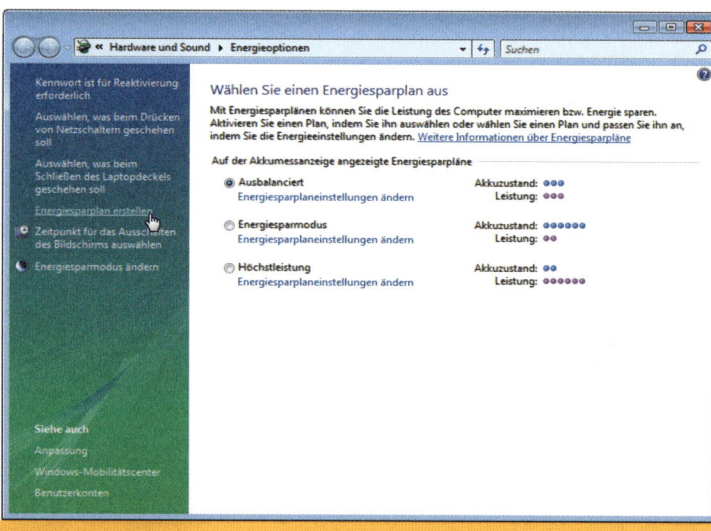

3. Bei den vorgegebenen Plänen markieren Sie den **Energiesparmodus**, geben Ihrem eigenen Sparplan im Feld **Energiesparplanname** eine aussagekräftige Bezeichnung und bestätigen mit **Weiter**.

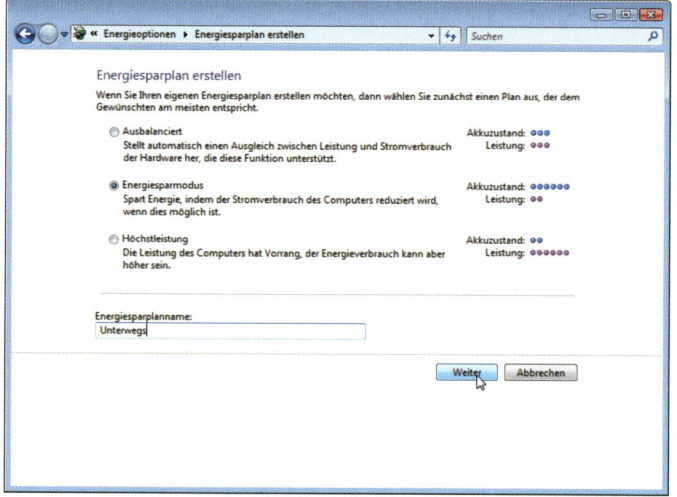

4. Verändern Sie Ihren Anforderungen gemäß mit den Dropdown-Listen die Einstellungen für die Rubriken **Akku** und **Netzbetrieb**.

   Sie können für jede Betriebsart die Einstellungen **Bildschirm ausschalten** und **Energiesparmodus nach** getrennt wählen.

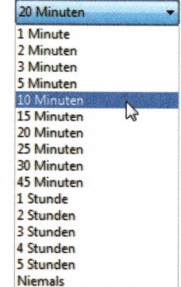

Zum Stromsparen empfehlen wir hier eine kurze Zeitdauer
für beide Einstellungen. Siehe folgende Abbildung.

5. Klicken Sie auf **Erstellen**.

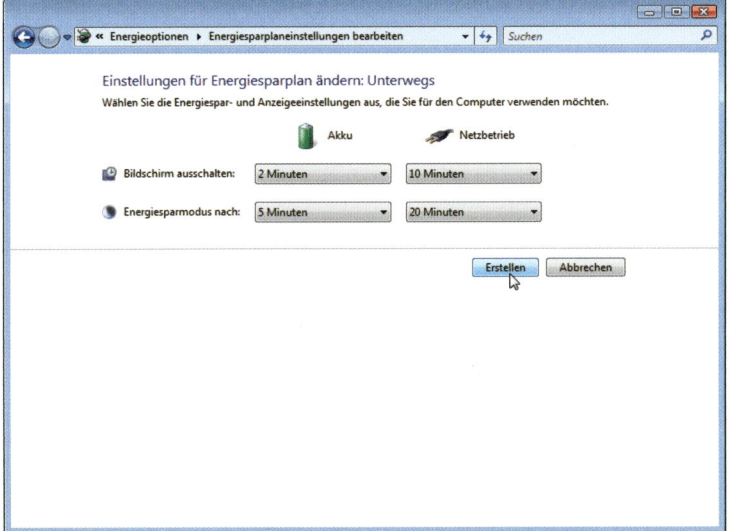

Ihr persönlicher Energiesparplan hat nun einen Platz in der Liste
bekommen, da er eine höhere Sparfunktion besitzt. Der Plan
Energiesparmodus wurde eine „Etage" tiefer verschoben und
kann per Klick auf das kleine Pfeilsymbol ein- oder ausgeblendet
werden.

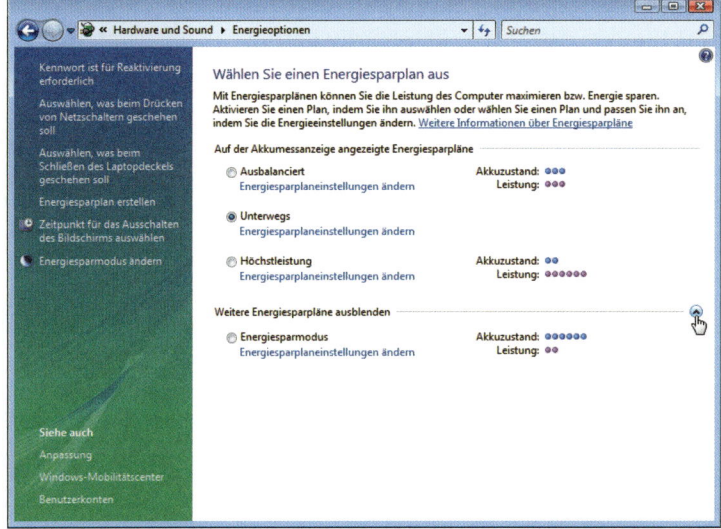

 **22** Ordner und Dateien verschlüsseln

Notebooks sind leicht, mobil, passen in jede Aktentasche – und werden leider häufig geklaut. Schon der materielle Schaden allein ist in solchen Fällen sehr ärgerlich, wird aber oft noch durch den Verlust persönlicher Daten getoppt. Das Verschlüsselungsprogramm **BitLocker** steht leider erst in den hochpreisigen Business- und Ultimate-Versionen zur Verfügung und ist dazu noch recht kompliziert. Aber wir haben da was für Sie.

1. Laden Sie sich von der Website ***http://osborn-software.de*** das Freeware-Programm **Advanced File Security Basic** herunter und installieren Sie es.

   Mit ihm können Sie Dateien, Ordner, E-Mail-Anhänge etc. auf Festplatte oder USB-Stick verschlüsseln.

2. Starten Sie es.

3. Wählen Sie **Verschlüsselung/Datei/Ordner**.

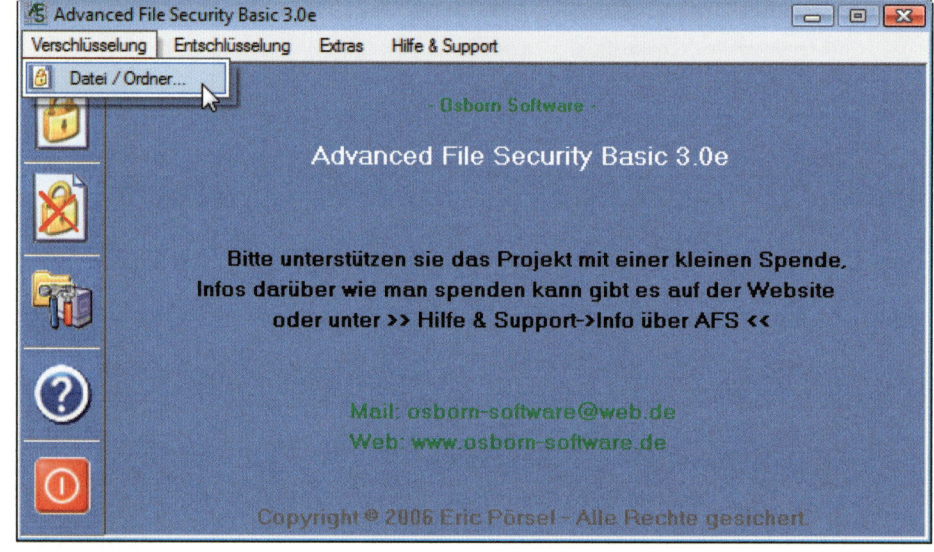

4. Klicken Sie auf **Hinzufügen/Datei** bzw. **Hinzufügen/Ordner** und geben Sie die entsprechenden Pfade an. Ein Häkchen unter **L** bedeutet »Löschen nach dem Verschlüsseln«, das **U** steht für »Unterordner einbeziehen«.

5. Nach getroffener Auswahl betätigen Sie **Weiter**.

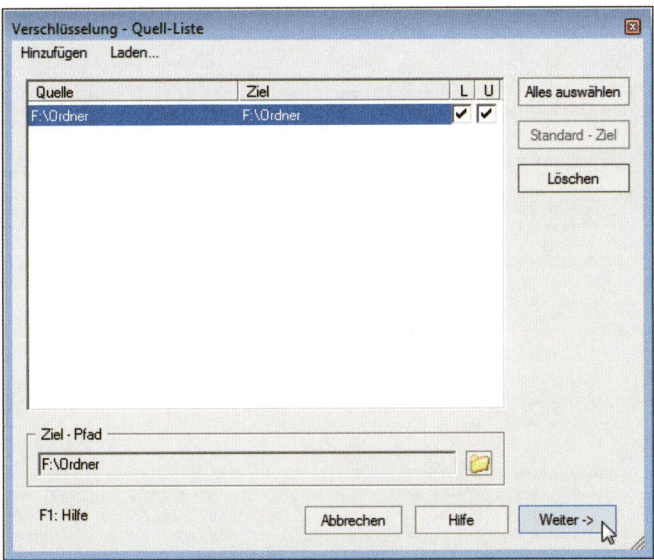

6. Wählen Sie ein Passwort aus und klicken Sie auf **Verschlüsseln**.

Die Verschlüsselung startet.

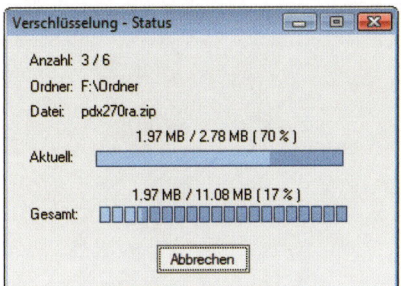

Beim Versuch, eine der verschlüsselten Dateien (im **AFS3**-Format) zu öffnen, startet das Programm erneut und Sie müssen das entsprechende Passwort eingeben, um die Datei zu entschlüsseln.

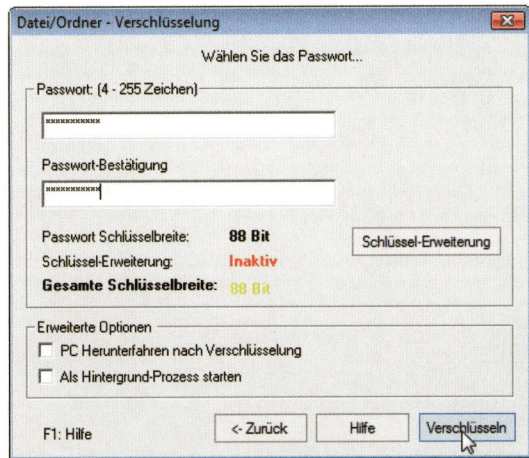

Unterhaltung

Wer will denn immer nur arbeiten? Schließlich kann und soll man mit seinem Notebook auch Spaß haben. Verschiedene Komprimierungsverfahren bringen Videoaufnahmen auf akzeptable Größe, sodass Sie sich unterwegs die Aufnahme Ihrer Lieblingssendung oder ein Urlaubsvideo ansehen können. Fast alle Notebooks verfügen über DVD-Laufwerke, warum sich also nicht einen Spielfilm anschauen? Hören Sie sich Musik an und laden Sie diese auf den MP3-Player. Oder zocken Sie mal wieder einen DOS-Klassiker. Das und mehr ist der Inhalt des folgenden Kapitels.

Wenn ein Video nicht so laufen will, wie Sie es gerne hätten, hilft oft der Griff zu den sogenannten Codec Packs. Diese enthalten alle gängigen Codecs und DirectShow-Filter, die man braucht, um die üblichen Formate abzuspielen. Erklärtes Ziel solcher Packs ist es, mögliche Konflikte zwischen den einzelnen Codecs bereits bei der Installation zu vermeiden.

Das Vista Codec Pack beinhaltet eine Auswahl der wichtigsten Audio- und Video-Codecs, Filter und Tools. Unter anderem sind darin enthalten:

- AC-3 ACM Codec
- Annodex Mux Filter
- AudioSwitcher
- AVI <-> AC3/DTS Converter
- Buffer Filter
- CDDA Reader Filter
- CDXA Reader Filter
- CMML Decode Filter
- CMML Raw Source Filter
- CoreAAC
- CoreVorbis
- CoreFLAC Audio Decoder & Source DirectShow Filter

- CyberLink Video/SP Filter
- D2V Source Filter
- DirectShow Media Muxer
- DivX Media Filter
- Dr. Evil TRLDRP6
- DSM Splitter
- DTS/AC3 Source Filter
- FFDShow
- File Source (Monkey Audio)
- FLIC Source Filter
- FLV Splitter
- Haali Media Splitter
- Haali Video Renderer
- MPEG Splitter
- MPV Decoder Filter
- Nut Splitter

- Ogg Demux Packet Source Filter
- Ogg Mux Filter
- Ogg Vorbis Codec
- Ogg Splitter
- OGM Decode Filter
- RadLight APE DirectShow Filter
- RadLight MPC DirectShow Filter
- RadLight OptimFROG DirectShow Filter
- RadLight PVA Splitter
- RadLight TTA DirectShow Filter
- RealMedia Splitter
- RoQ Splitter
- Shoutcast Source Filter
- Speex Decode Filter
- Speex Encode Filter
- Subtitle VMR9 Filter

- Subtitle Source Filter
- TechSmith Screen Capture Codec
- UDP Reader Filter
- VMware Movie Decoder
- VobSub & TextSub Filter for DirectShow/VirtualDub/Avisynth
- VP7 Decompression Filter
- VTS Reader Filter
- Windows Media Video 9 VCM
- XviD MPEG-4 Video Codec
- XviD MPEG-4 Video Decoder

Downloadlinks und Zusatzinformationen über dieses Codec Pack bekommen Sie unter *http://www.jtow.net/users/triess/*.

Achtung

Codec Packs haben nicht nur Vorteile. Gelegentlich verursachen diese vermeintlichen Allheilmittel mehr Probleme, als sie lösen.

Wer hat schon Lust, unterwegs ständig im Stress zu sein? Also warum sich nicht bei einer schönen DVD entspannen? Vista bietet hier serienmäßig gleich zwei Möglichkeiten, DVD-Filme anzusehen: Zum einen über den Windows Media Player, zum anderen über das Windows Media Center.

1. Legen Sie die DVD ins Laufwerk und wählen Sie aus dem Dialog **Automatische Wiedergabe** die gewünschte Abspielmöglichkeit aus.

2. Stellen Sie Ihr Notebook, vor allem bei verspiegelten Displays, an einem beschatteten Ort auf, lehnen Sie sich zurück und genießen Sie den Film.

Tipp

Bei schwächerer CPU raten wir hier zum Media Player, da er mit weniger Rechenleistung auskommt.

Wiedergabelisten benötigt man unter anderem, um Musiktracks wiederzugeben, um sie auf Disk zu brennen oder zur Synchronisation mit mobilen Playern. So werden sie mit dem Windows Media Player erstellt:

1. Starten Sie den Windows Media Player.

2. Klicken Sie auf die Schaltfläche **Medienbibliothek**.

3. Wählen Sie links im Menü den Eintrag **Wiedergabeliste erstellen** aus.

4. Markieren Sie den gewünschten Track im Detailbereich und ziehen Sie ihn nach rechts in die Liste. Das funktioniert auch aus dem Explorer.

Tipp

Um mehrere hintereinanderliegende Titel auszuwählen, markieren Sie den ersten, halten ⇧ gedrückt und klicken sodann auf den letzten, um diese und alle dazwischen befindlichen auszuwählen. Mehrere verschiedene markieren Sie am einfachsten mit gedrückt gehaltener Strg-Taste.

5. Klicken Sie auf **Wiedergabeliste speichern** und speichern Sie die Liste unter einem aussagekräftigen Namen ab.

Besitzen Sie einen mobilen Player, beispielsweise einen MP3-Player, der von Windows unterstützt wird, können Sie diesen mit Ihrem Notebook verbinden und über den Windows Media Player synchronisieren.

1. Verbinden Sie den Player mit dem Notebook – das geschieht zumeist per USB-Anschluss.

2. Sobald der Media Player das Gerät erkannt hat, weisen Sie diesem einen Namen zu und bestätigen mit **Fertig stellen**.

3. Ziehen Sie die gewünschten Wiedergabelisten oder Musiktracks auf die Liste Ihres Players.

4. Klicken Sie auf **Synchronisierung starten**.

   Der Synchronisationsvorgang startet.

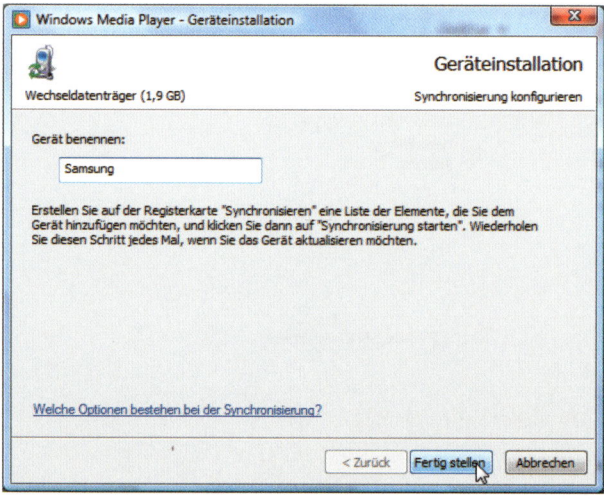

Titel	Status	Wiedergabeliste
ChillOut		
Blue Flame	Synchronisierung (87%)	ChillOut
Manana Club		ChillOut
Aguas Blancas		ChillOut
Cosmic Ring		ChillOut
Revolution		ChillOut
All About The Girl		ChillOut
Freddy B Aii		ChillOut
Day Dream		ChillOut
Floating		ChillOut
Manali		ChillOut
Never Ending		ChillOut
Relax V02		ChillOut

5. Trennen Sie nach vollständiger Synchronisierung den Player vom Notebook.

Tipp

Diese Vorgehensweise funktioniert nur bei MP3-Playern, die direkt vom Media Player unterstützt werden. Der iPod und andere populäre Player benötigen separate Software.

Zum Übertragen von Daten auf den iPod dient für gewöhnlich die Software iTunes von Apple. Apple-Anhänger mögen uns verzeihen, aber wir haben unsere Musik in eigenen, klaren Ordnerstrukturen auf Festplatte und spielen diese mit Foobar (**www.foobar.org**) ab. Mit den Bibliotheken in iTunes und anderen Software-Playern können wir nichts anfangen, zudem stört uns deren Ressourcenhunger. Auf der Suche nach iTunes-Alternativen sind wir auf das kostenlose PoddoX gestoßen.

PoddoX gestattet einen einfachen und schnellen Datenaustausch zwischen Notebook (oder PC) und iPod, ganz ohne iTunes. Im Gegensatz zu iTunes arbeitet PoddoX ohne Bibliotheken. Der Datentransfer kann direkt aus dem Explorer gesteuert werden. Für iPod-Besitzer, die ihre Musik nicht über iTunes hören, bedeutet das eine deutliche Vereinfachung beim Übertragen von Musik, Videos, Fotos usw. Für alle, die ihre Musik in klaren Ordnerstrukturen angelegt haben, ergibt sich so die Möglichkeit, auf die umständlichen Bibliotheken in iTunes zu verzichten und ihre Daten einfach im Explorer zu markieren und auf direktem Weg auf den iPod zu kopieren. Sie bekommen dieses tolle Programm kostenlos unter **www.poddox.com/de/ipod-software-download**.

1. Laden Sie sich die **ZIP**-Datei herunter und entpacken Sie sie.

2. Kopieren Sie die **poddox.exe** in ein beliebiges Verzeichnis.

Angenommen, Sie wollten ein komplettes Album im MP3-Format auf den iPod kopieren:

1. Verbinden Sie Notebook und iPod.

2. Starten Sie PoddoX per Doppelklick auf die Datei **poddox.exe**.

3. Klicken Sie auf **Music**.

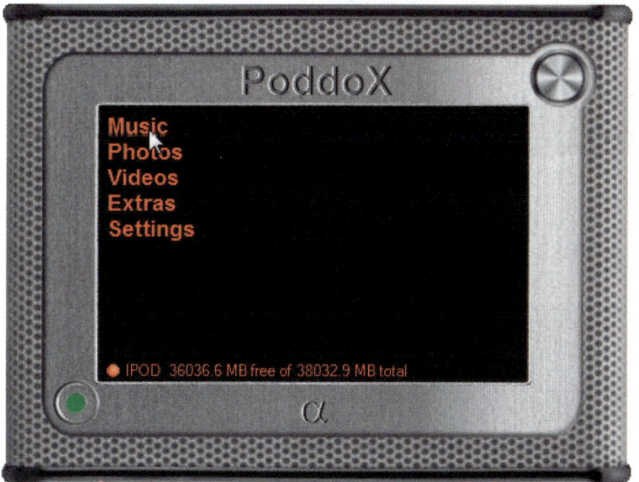

4. Wählen Sie **Write to iPod** aus dem Menü.

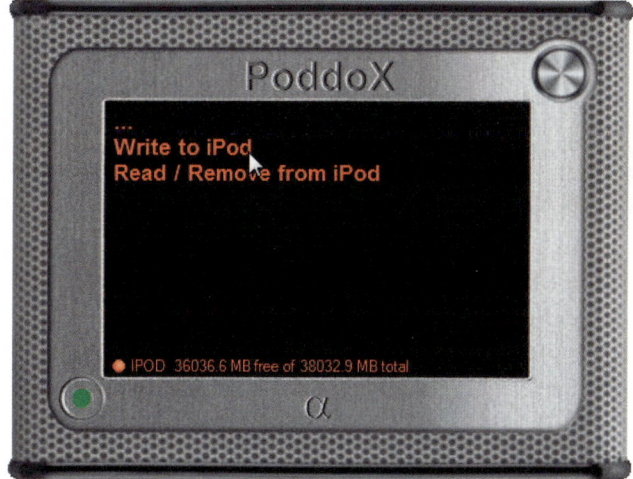

Tipp

Das Programm kommt ohne Installation aus. Sie können es sogar direkt auf die Festplatte des iPods kopieren und von dort aus starten.

5. Klicken Sie auf **Add Dirctory**, da ein kompletter Ordner über-
spielt werden soll.

6. Klicken Sie sich bis
zum entsprechenden
Verzeichnis durch,
markieren Sie den
gewünschten Ordner
und bestätigen Sie
mit **OK**.

7. Bestätigen Sie den Kopiervorgang per Klicken auf **Yes**.

Nach Abschluss der Übertragung erhalten Sie eine
Erfolgsmeldung.

8. Beenden Sie PoddoX per Klick auf den runden Knopf oben rechts.

Im Gegensatz zu iTunes kann Musik vom iPod auch auf das Notebook (zurück-)überspielt werden. Dazu wählen Sie einfach **Read/Remove from iPod** aus dem Menü. Sie haben dann die Möglichkeit, sich den Inhalt des iPods nach **Album**, Interpreten (**Artist**) oder Wiedergabeliste (**Playlist**) sortiert auflisten zu lassen. Die Einträge können mit Häkchen markiert und per Klick auf **Copy** auf die Notebook-Festplatte kopiert oder mit **Remove** vom iPod gelöscht werden.

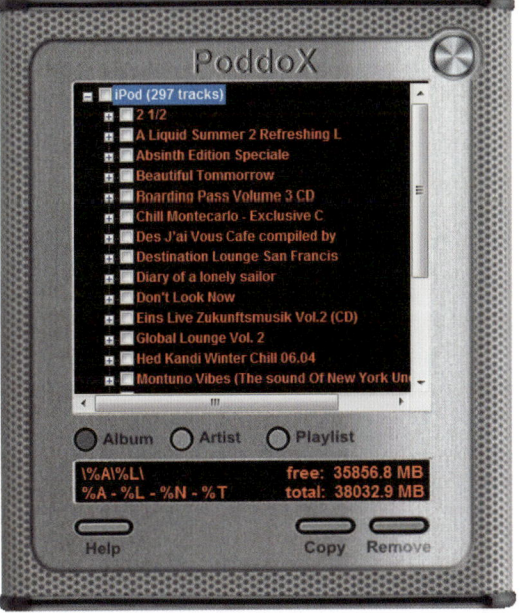

Musik können Sie natürlich bei Onlineportalen wie z. B. iTunes, Musicload etc. erwerben oder Tracks der eigenen CD-Collection im MP3-Format auf der Festplatte speichern, um neues Futter für den iPod bzw. einen anderen portablen Player zu haben. Dieses digitale Auslesen wird gemeinhin als Rippen bezeichnet. Mit dem Media Player lässt sich das – nach Verändern einiger Einstellungen – prima bewerkstelligen.

1. Starten Sie den Media Player über das Startmenü oder die Schnellstartleiste.

2. Legen Sie eine Audio-CD in Ihr Laufwerk und stoppen Sie ggf. den Abspielvorgang.

3. Klicken Sie auf Medienbibliothek/Weitere Optionen.

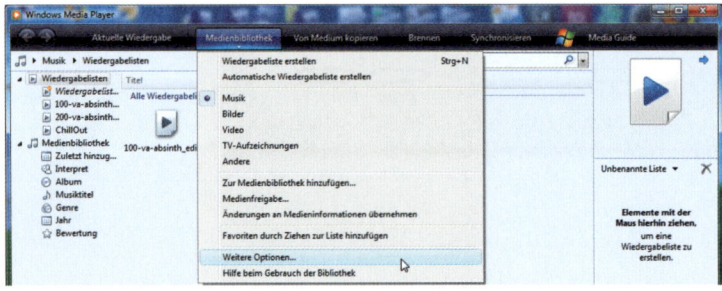

4. Im Register Musik kopieren ändern Sie bei Bedarf zunächst den Speicherort und wählen dann aus dem Dropdown-Menü Format den Eintrag MP3 aus.

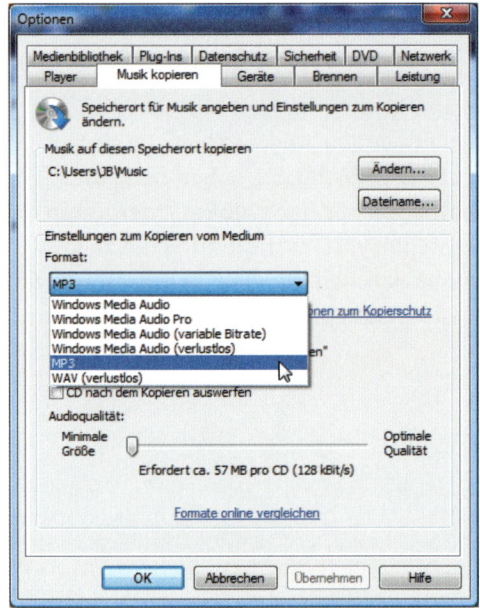

5. Setzen Sie ein Häkchen vor **CD nach dem Einlegen kopieren** und markieren Sie die Option **Nur innerhalb der Registerkarte „Kopieren"**.

6. Ziehen Sie den Schieberegler **Audioqualität** nach links, bis darunter der Wert **192 kBit/s** angezeigt wird.

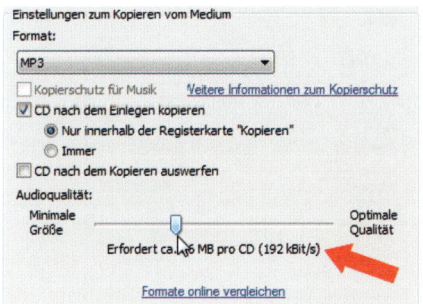

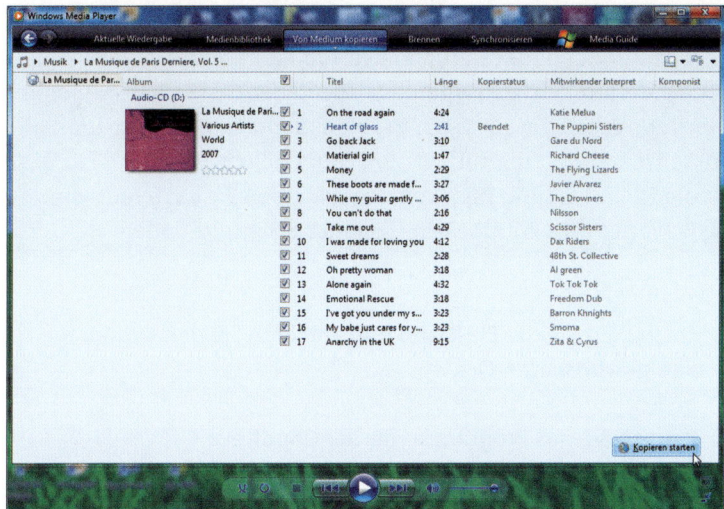

Schließen Sie den Dialog Optionen mit OK.

7. Klicken Sie auf die Schaltfläche **Von Medium kopieren**, setzen Sie Häkchen vor die Tracks, die kopiert werden sollen, und wählen Sie unten rechts **Kopieren starten** aus.

Der Auslesevorgang startet und Füllbalken hinter den Tracks informieren Sie über die Fortschritte.

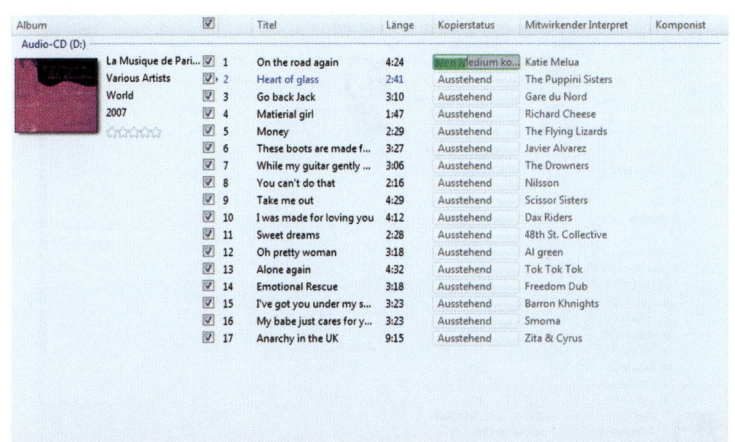

Erscheint beim Öffnen einer Multimediadatei der Hinweis, dass kein passender Codec gefunden wurde, ist es in der Regel keine gute Idee, auf Verdacht irgendwelche Codec Packs zu installieren. Meistens vergrößert sich das Problem dadurch noch. Stattdessen sollten Sie gezielt überprüfen, welcher Codec erforderlich ist. Das ist ein Fall für GSpot. Das Programm können Sie kostenlos von der Website *http://gspot.headbands.com* herunterladen.

1. Entpacken Sie die **ZIP**-Datei und kopieren Sie den Ordner an den gewünschten Ort.

2. Starten Sie das Programm mit der **GSpot.exe**.

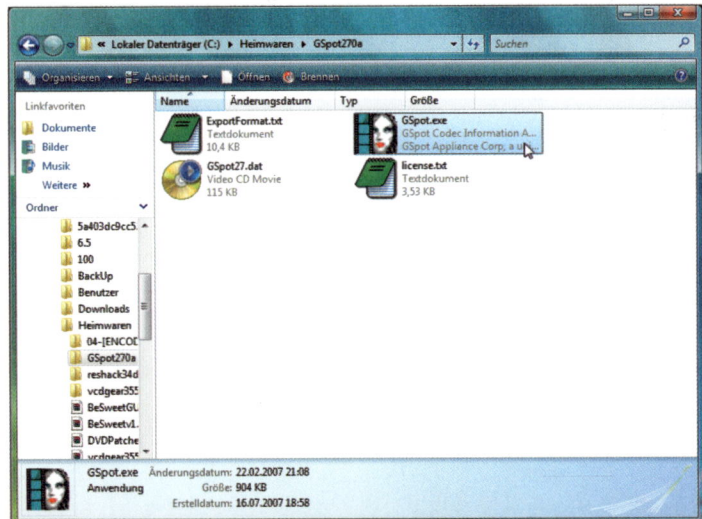

3. Klicken Sie auf die Schaltfläche hinter **Path**.

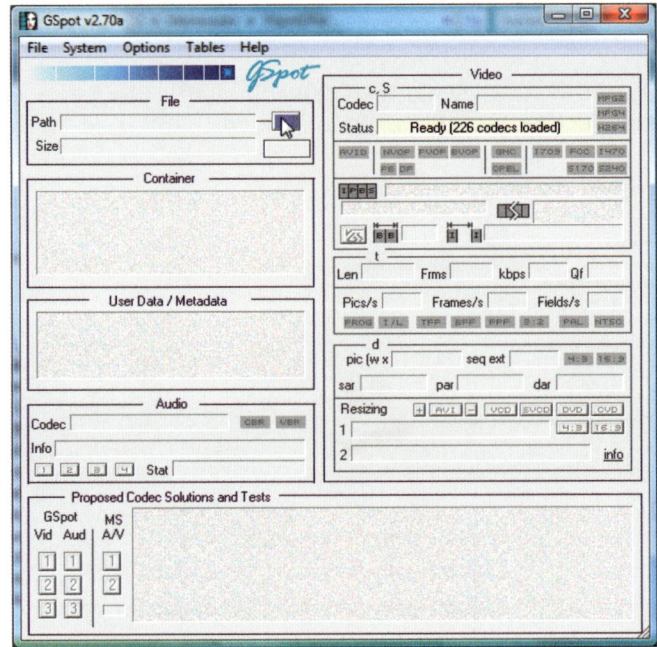

4. Navigieren Sie zu der Multimediadatei, deren Codec Sie interessiert, markieren Sie diese und klicken Sie dann auf **Öffnen**.

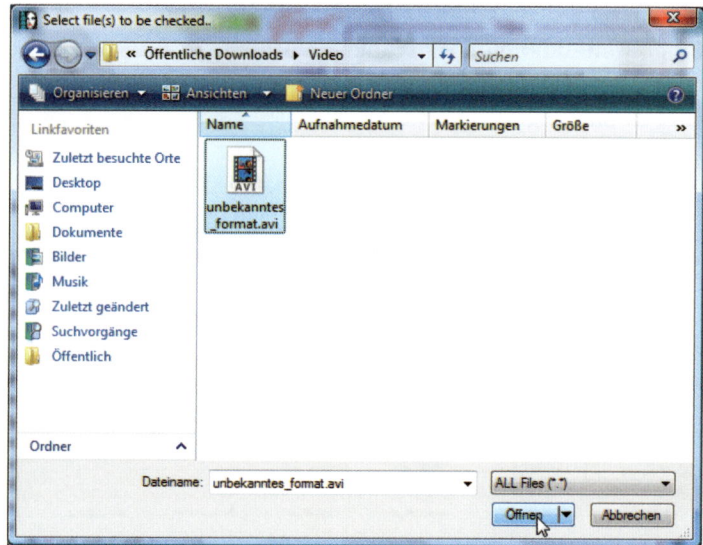

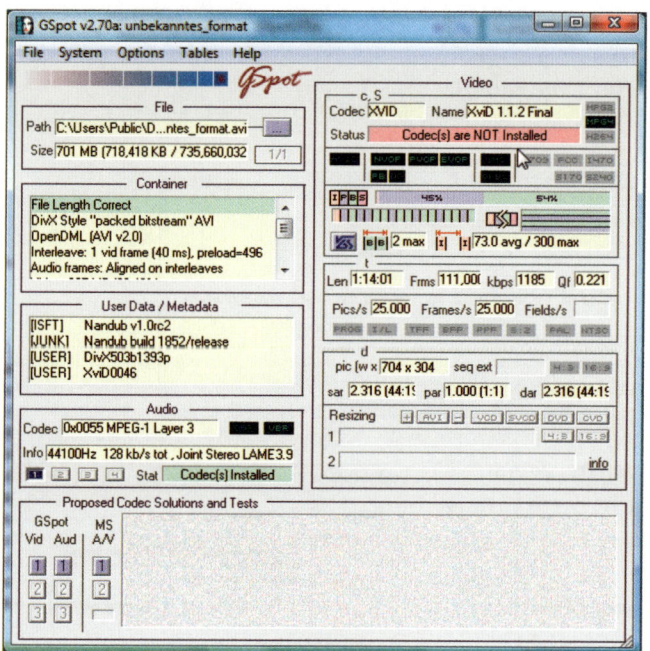

GSpot untersucht die Datei, identifiziert Audio- und ggf. Video-Codec(s) und zeigt an, ob die erforderlichen Codecs auf Ihrem Notebook installiert sind.

In unserem Beispiel wurde der fehlende Codec (**XVID**) installiert und das Problem beseitigt.

Dieser Fehler tritt bei fehlerhaften Video-Codecs auf. Die Fehlermeldung erscheint meistens beim Anklicken oder Öffnen einer Videodatei. Auslöser kann z. B. das Brennprogramm Nero in einer Version kleiner 7.5.7.0 oder DivX sein.

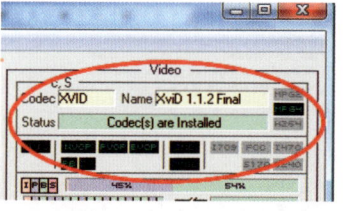

30 Fehlermeldung „COM Surrogate funktioniert nicht mehr"

Nutzen Sie DivX, aktualisieren Sie auf die neueste Version (*www.divx.com/?lang=de*), für die neueste Nero-Version gehen Sie auf *www.nero.com/de*.

Weiterhin böte sich an, alle **ax**-Dateien im Verzeichnis **C:\Programme\Common Files\Ahead\DSFilter** umzubenennen, also etwa von **HMNavigator.ax** in **HMNavigator.ax.bak**. Die beste Lösung ist das aber auch nicht.

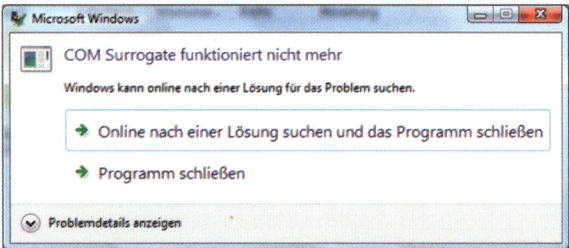

Die einfachste, wenngleich nicht beste Lösung:

1. Öffnen Sie im Dialog **Ordneroptionen** das Register **Ansicht**.

2. Setzen Sie ein Häkchen vor **Immer Symbole statt Miniaturansichten anzeigen**.

3. Schließen Sie den Dialog mit **OK**.

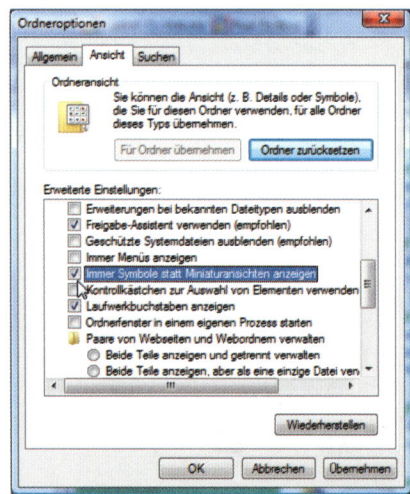

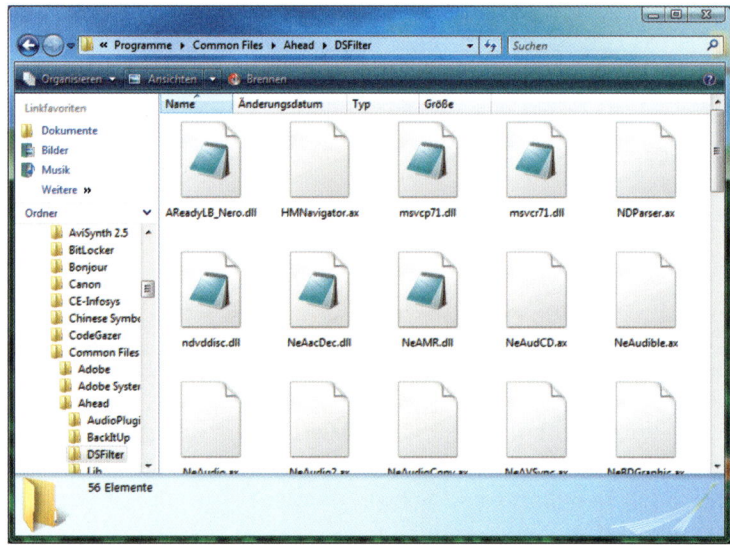

Wir raten, die sogenannte Datenausführungsverhinderung (Data Execution Prevention, DEP) beim Dllhost (dem COM Surrogate) zu vermeiden.

1. Klicken Sie im Startmenü mit rechts auf **Computer** und wählen Sie **Eigenschaften** aus.

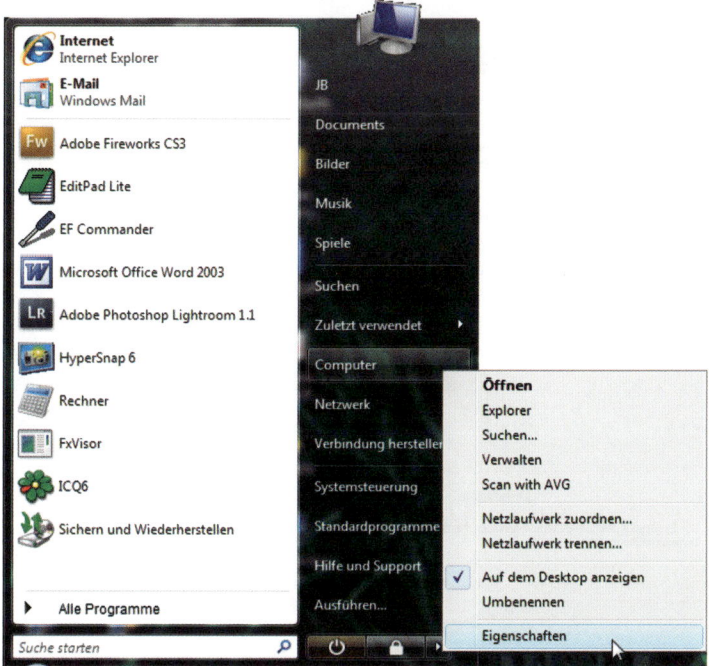

2. Klicken Sie auf **Erweiterte Systemeinstellungen**.

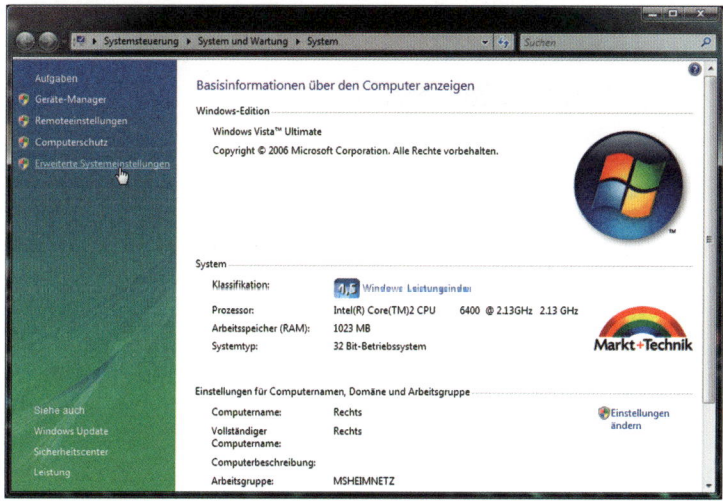

3. Öffnen Sie das Register **Erweitert** und betätigen Sie die Schaltfläche **Einstellungen**.

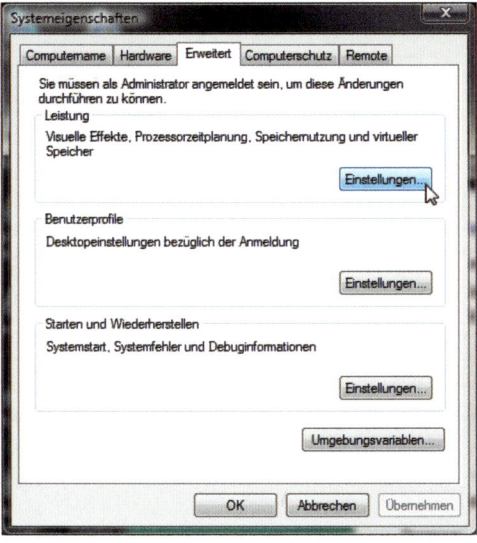

4. Aktivieren Sie im Register **Datenausführungsverhinderung** die Option **Datenausführungsverhinderung für alle Programme und ...** und klicken Sie auf **Hinzufügen**.

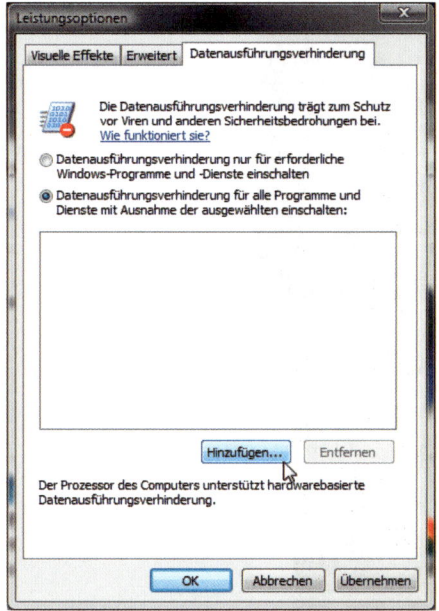

5. Steuern Sie den Ordner **System32** im **Windows**-Verzeichnis an, markieren Sie die Datei **dllhost.exe** und klicken Sie auf **Öffnen**.

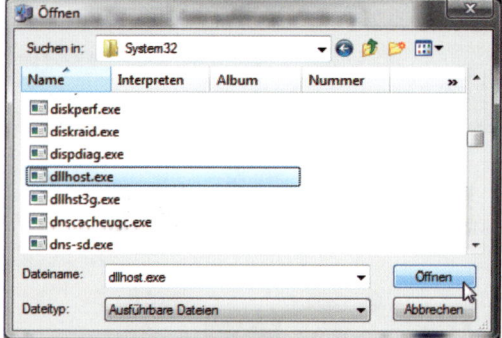

6. Bestätigen Sie die Warnmeldung mit **OK**.

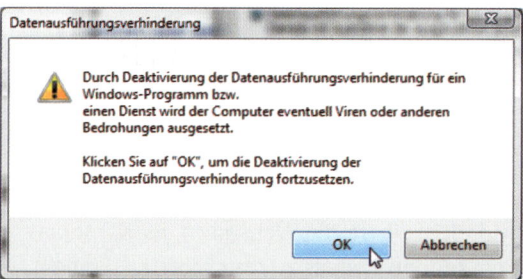

7. Schließen Sie den Dialog per Klick auf **OK** und starten Sie Ihr Notebook neu.

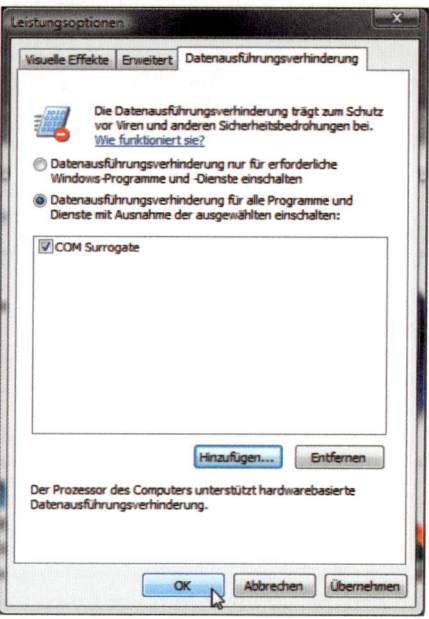

Tipp

Beeinträchtigungen irgendwelcher Programme beim Auftreten dieses Fehlers sind derzeit nicht bekannt.

Wer sich mit digitaler Fotografie beschäftigt, erlebt nach dem Umstieg auf Vista eine unschöne Überraschung. Durch das Fehlen des RAW Image Viewers werden RAW-Dateien in der Fotogalerie nicht angezeigt.

Das am häufigsten verwendete Dateiformat bei Digitalkameras ist heute das JPEG-Format. Der große Vorteil der JPEG-Dateien ist die Möglichkeit der Komprimierung, diese ist jedoch mehr oder weniger stark verlustbehaftet. Durch das JPEG-Format wird zwar viel Speicherplatz gespart, was aber bei den heutigen Preisen für Festplatten kein Thema mehr sein sollte.

Problematisch jedoch ist, dass bereits wesentliche Bearbeitungsschritte durch die Software der Kamera vorgenommen werden und man kaum Einfluss darauf nehmen kann.

Bei den immer mehr gesteigerten Qualitätsansprüchen ist es daher erforderlich, notwendige Bearbeitungsschritte selbst durchführen zu können und keine verlustbehafteten Dateivorlagen zu haben, die bei jedem Speichern noch mehr an Daten verlieren. Aus diesem Grund bieten die Hersteller gehobener Digitalkameras die Möglichkeit, die Bilder in einem unbearbeiteten Rohzustand – als RAW-Dateien – aufzunehmen. Eine RAW-Datei ist quasi ein belichtetes, noch nicht entwickeltes Negativ. Doch zurück zum eigentlichen Problem:

Beim Versuch, RAW-Dateien in der Fotogalerie zu betrachten, erscheinen trotz aktivierter Miniaturansichten nur die Dateisymbole. Es fehlt der passende Codec.

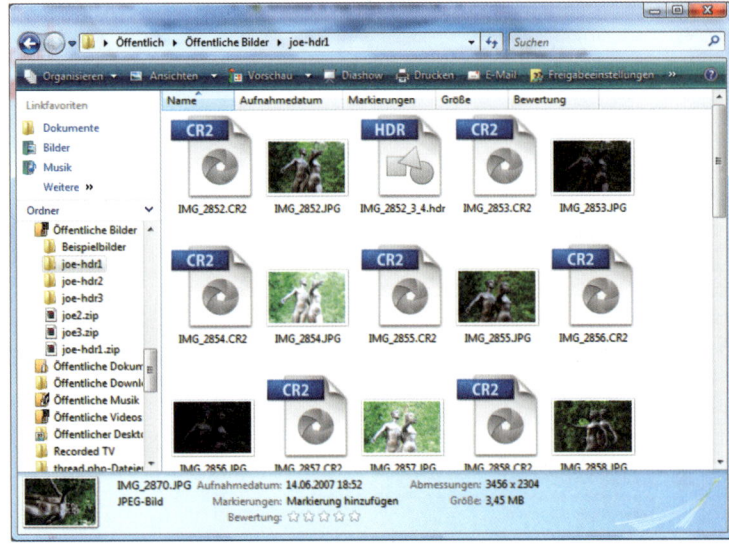

Die derzeit einzige Möglichkeit ist, die Webseiten der Kamerahersteller nach den passenden Codecs zu durchforsten. Bisher veröffentlichten Canon, Nikon und Pentax entsprechende RAW-Codecs.

Folgende Codecs können heruntergeladen werden:

- Canon ***http://software.canon-europe.com/software/ 0026049.asp?model=***
- Pentax ***www.pentax.co.jp/english/support/digital/ rawcodec_vista.html***
- Nikon ***www.nikonimglib.com/nefcodec/index.html.de***

Für unsere Canon gab es das Passende und das Anzeigeproblem war gelöst.

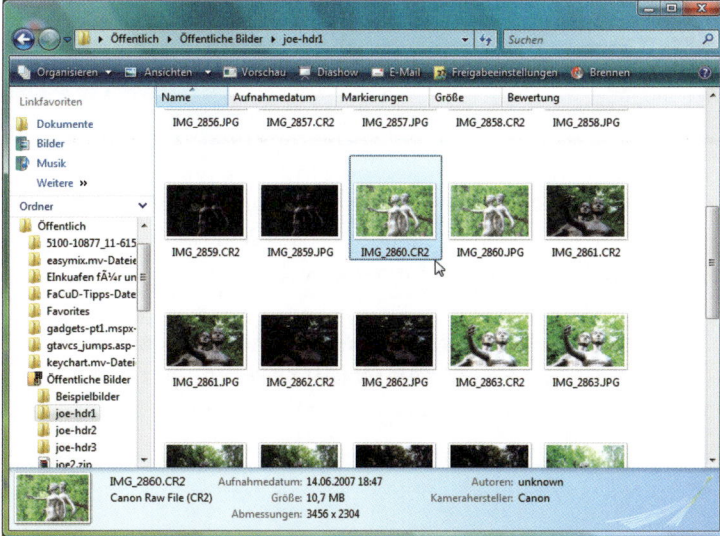

DOS-Klassiker zocken

Einen DOS-Klassiker zocken, entspannen und sich in die 1990er zurückversetzt fühlen. Was kann schöner sein, um die Zeit im Flugzeug, Zug oder zwischen zwei Terminen totzuschlagen? Kein Witz, DOS-Spiele sind kurzweilig, es passen locker mehrere auf einen USB-Stick und sie stellen die Notebook-Hardware kaum vor schwierige Aufgaben. Nur: Wie bekommt man sie zum Laufen?

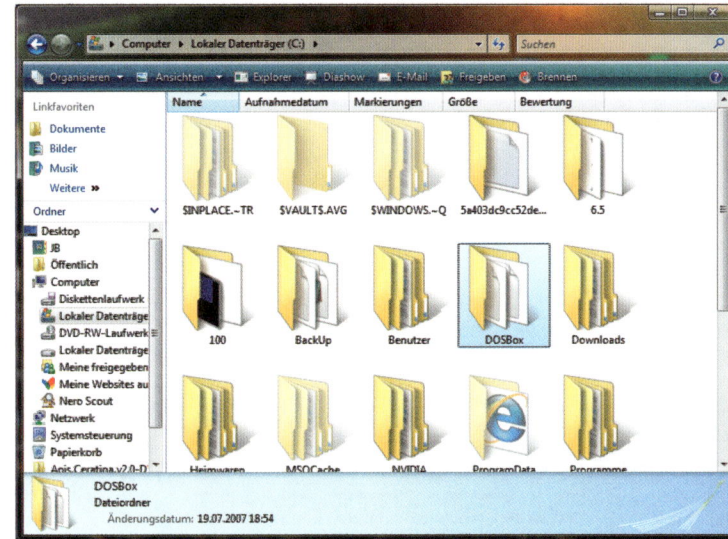

Erste Wahl wäre eigentlich, mit dem kostenlosen Virtual PC von Microsoft einen kompletten Computer zu simulieren und auf diesem ein echtes DOS zu installieren. Fürs Notebook ist das allerdings zu speicherintensiv und darum nur bedingt geeignet. Das Programm DOSBox liefert nach der Installation ein fertig eingerichtetes DOS, perfekt für diesen Zweck. DOSBox können Sie kostenlos von ***http://dosbox.sourceforge.net*** herunterladen.

Das weitere Vorgehen zeigen wir Ihnen am Beispiel des sehr, sehr *unblutigen* 3D-Shooters Skaphander von Navigo aus dem Jahr 1995.

1. Installieren Sie DOSBox.

2. Öffnen Sie unter **Computer** das Laufwerk **C** und legen Sie dort einen Ordner mit dem Namen **DOSBox** an.

3. Kopieren Sie den Ordner mit dem Spiel in das neu erstellte Verzeichnis und achten Sie darauf, dass sein Name aus maximal acht Zeichen (DOS-Standard) besteht.

   Im Beispiel wählten wir also **SKAPHAND**, womit der Pfad zur Startdatei **C:\DOSBox\SKAPHAND\SKAPH.BAT** lautete.

4. Starten Sie DOSBox, tippen Sie den Befehl **mount c: c:\DOSBox** ein und drücken Sie ⏎.

5. Tippen Sie **c:** ein und drücken Sie ⏎.

6. Nun tippen Sie **cd skaphand** ein und drücken ⏎, um in das Skaphander-Verzeichnis zu wechseln.

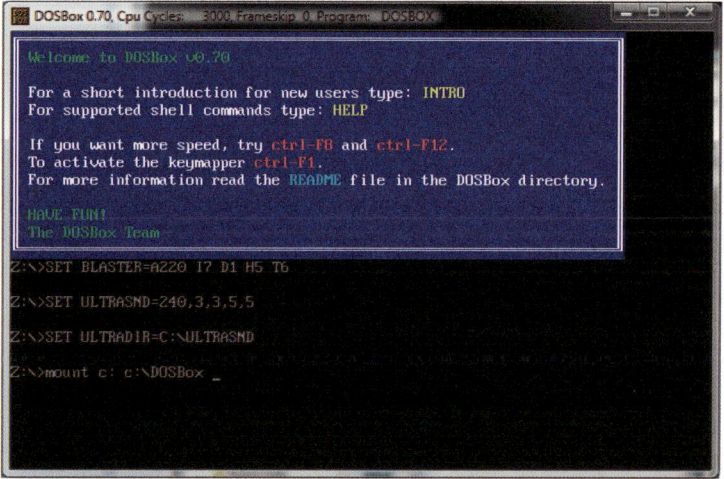

Tipp

DOSBox verwendet das US-Tastaturlayout. Für : drücken Sie ⇧+Ö, = wird mit Num↓ erzeugt und \ bekommen Sie mit #.

Weitere Optionen:

Alt +⏎ – Umschalten zwischen Fenster und Vollbildanzeige

Strg +F5 – Screenshot des Bildschirms wird erstellt

Strg +F6 – Starten/Beenden der Soundaufnahme

Strg +F7 – Verringert die Frameüberspringung

Strg +F8 – Erhöht die Frameüberspringung (für langsame Rechner)

Strg +F9 – Beendet das Programm

Strg +F10 – Mausumschaltung

Strg +F11 – Das emulierte Programm wird abgebremst

Strg +F12 – Das emulierte Programm wird beschleunigt

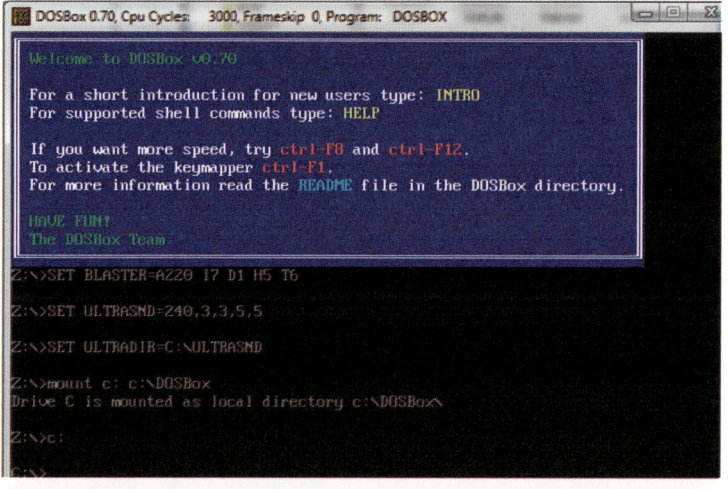

7. Dort geben Sie **skaph** ein und betätigen die ⟨⏎⟩-Taste, damit das Spiel startet.

Und los geht's.

Viel Spaß mit Lemmings, X-Wing und vielen anderen.

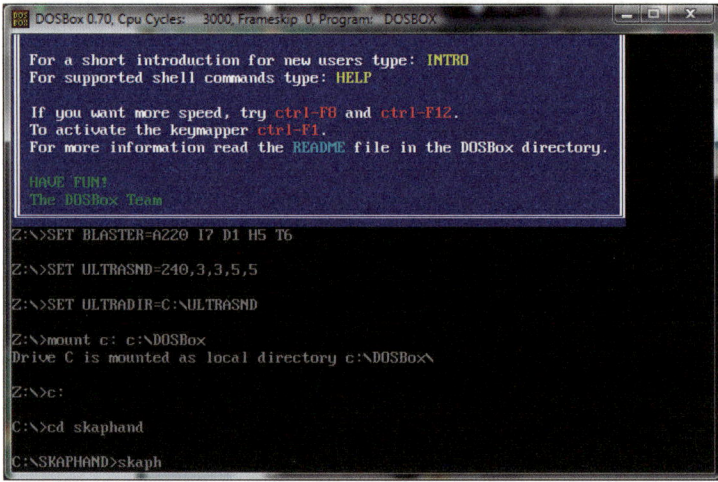

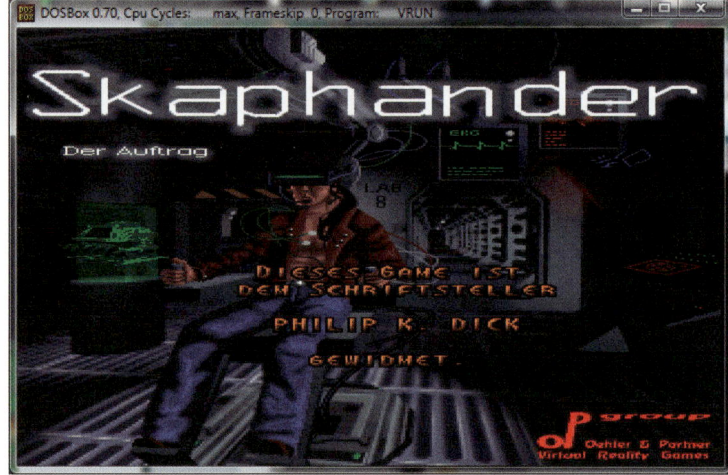

Sicherheit

Eine alte Hacker-Weisheit besagt, dass sich die schwächste Stelle eines Computersystems vor der Tastatur befindet. Sieht man sich an, wie leichtsinnig viele mit Passwörtern umgehen, E-Mail-Anhänge öffnen, Drahtlosnetzwerke unverschlüsselt lassen oder im Internet ohne Firewall und Antivirensoftware unterwegs sind, scheint dies leider zuzutreffen.

Wir haben in diesem Kapitel einige Sachen zusammengetragen, die Ihnen beim Absichern Ihres Systems und dem Schutz Ihrer persönlichen Daten helfen. Letzteres selbst dann, wenn Ihr Note-book gestohlen werden sollte. Fast alles, was dafür nötig ist, bringt Vista bereits bei der Installation mit, oder Sie bekommen es kostenlos im Internet. Ohne ein gewisses Maß an Vorsicht und Eigeninitiative von Ihrer Seite geht es aber trotzdem nicht. Gegen den berühmten Merkzettel mit dem Admin-Passwort am Bildschirmrand ist selbst die teuerste Sicherheitssoftware machtlos.

Es betrifft zwar nicht unbedingt das Notebook direkt, wir müssen aber an dieser Stelle dennoch eine Warnung loswerden, denn leider sichern sich viele Anwender von Funknetzwerken – sogenannten WLANs – nicht richtig ab. Sie ziehen es vor, gar keine Sicherung zu verwenden, oder setzen auf so veraltete Standards, dass sie sogar ein Hobbyhacker innerhalb von Minuten knacken kann. Neugierige Nachbarn gibt es überall, und das Umherfahren, Ausspähen und Missbrauchen ungeschützter Drahtlosnetze (War-Driving) wird langsam zum Volkssport.

Lange Zeit galt WEP (Wired Equivalent Privacy) als sicheres Verschlüsselungsverfahren, doch ist bereits seit 2001 eine prinzipielle Sicherheitslücke bekannt. Bei neueren Geräten hat sich längst das Verschlüsselungsverfahren WPA (Wi-Fi Protected Access) bzw. WPA2 durchgesetzt. Dass dennoch häufig die alte Technik genutzt wird, liegt zum Teil an der unnötig komplizierten Konfiguration von WPA in vielen WLAN-Stationen. Gar nicht oder nur mit WEP verschlüsselte WLANs öffnen aber Datenspionen Tür und Tor. Wir haben hier eine kleine Checkliste für Sie:

- Verwenden Sie mindestens eine 128-Bit-Verschlüsselung, sofern Sie aus Kostengründen auf WEP angewiesen sind, und geben Sie der Hardware eine SSID (Service Set Identifier), die keine Rückschlüsse auf den Hersteller erlaubt.

- Laden Sie sich den kostenlosen RK-WLAN-Keygen unter *http://software-portal.faz.net/ie/46589* herunter, um sichere Verschlüsselungscodes zu erstellen. Diese lassen sich drucken oder als Textdateien abspeichern und so auf andere Rechner übertragen.

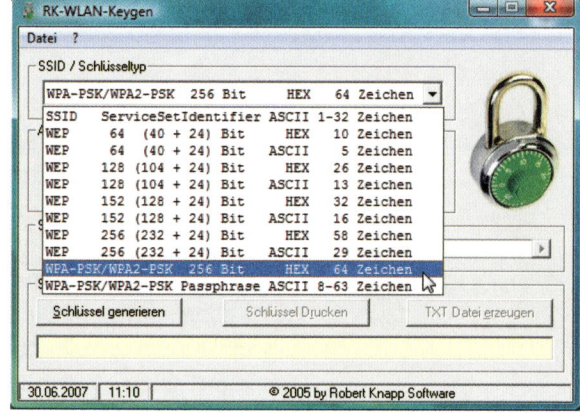

- Wie bereits erwähnt, ist die WPA- bzw. WPA2-Verschlüsselung weitaus sicherer, denn die dabei verwendeten dynamischen Schlüssel erschweren den Angriff auf das Netzwerk. Zur Authentifizierung im Netzwerk wird normalerweise ein sogenannter Pre-Shared Key (PSK) verwendet, der die eigentliche Schwachstelle bei der WPA-Methode ist. Wählen Sie also eine sichere Kombination aus Ziffern und Buchstaben.

Sicherheit / Verschlüsselung

Verschlüsselung

Betriebsart: WPA / WPA2 mit Pre-shared key

Einstellungen zum Pre-shared key

Pre-shared key (PSK):

- Verfügt Ihre WLAN-Hardware über eine Zugriffskontrolle, sollten Sie die MAC(Media Access Control)-Adressen der berechtigten Geräte in eine entsprechende Liste eintragen.
- Stellen Sie die SSID auf **unsichtbar**.

Netzwerk / Wireless LAN (WLAN)

Wireless LAN

Betriebszustand: ○ Aus ● Ein

SSID:

SSID unsichtbar: ☑

Übertragungsmodus: 802.11g + 802.11b(Mixed)

Sendeleistung: Hoch

Kanal: 8

Der letzte Punkt hat allerdings zur Folge, dass Ihr WLAN keine Kennung mehr aussendet und der WLAN-Adapter des Notebooks das Netzwerk nicht findet. Wie Sie trotzdem die Verbindung herstellen, zeigen wir Ihnen im nächsten Tipp.

Bei der in Tipp 33 getroffenen Einstellung für den Router/Access Point findet Ihr Notebook das Netzwerk nicht mehr. Mit etwas Handarbeit klappt es aber trotzdem.

1. Klicken Sie auf das Symbol Ihres WLAN-Adapters in der Taskleiste und wählen Sie aus dem Menü **Netzwerk- und Freigabecenter**.

2. Im Folgedialog aktivieren Sie links im Menü **Eine Verbindung oder ein Netzwerk einrichten**.

3. Klicken Sie auf **Manuell mit einem Drahtlosnetzwerk verbinden**.

4. Markieren Sie Ihr WLAN und klicken Sie auf **Verbindung herstellen**.

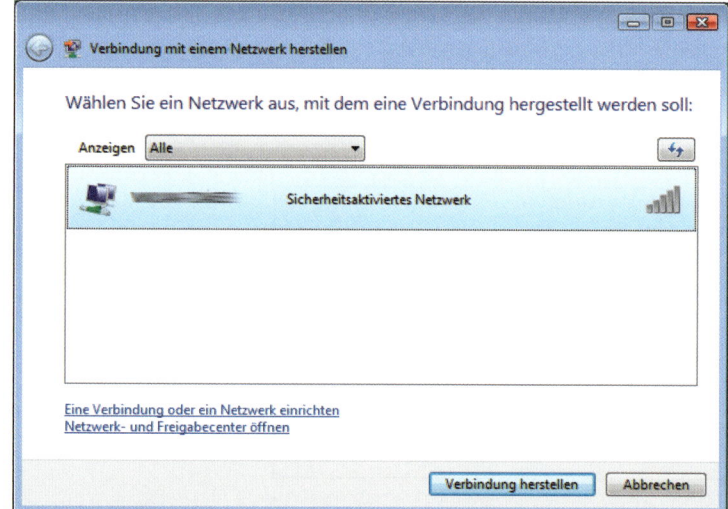

5. Geben Sie den Namen des Netzwerks ein – er muss Ihnen bekannt sein –, den Sicherheitstyp für die Verschlüsselung sowie den Sicherheitsschlüssel. Entscheiden Sie durch Setzen eines Häkchens, ob die Verbindung automatisch gestartet werden soll, und bestätigen Sie mit **Weiter**.

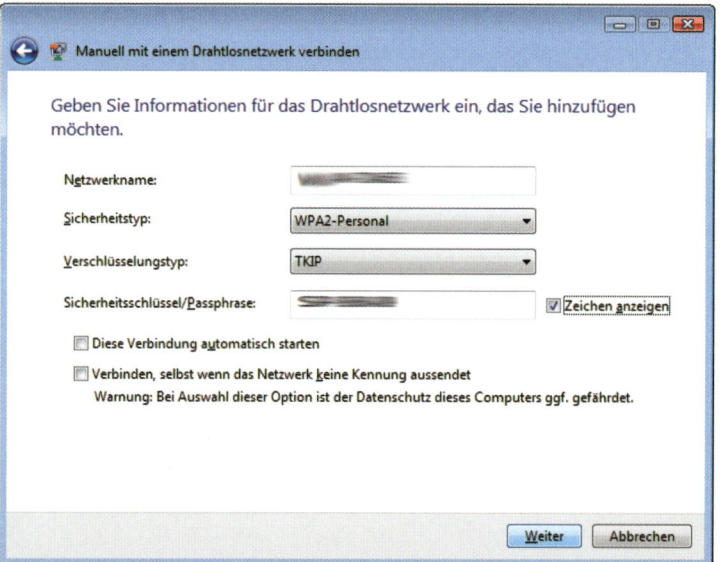

Innerhalb kurzer Zeit wird die Verbindung hergestellt.

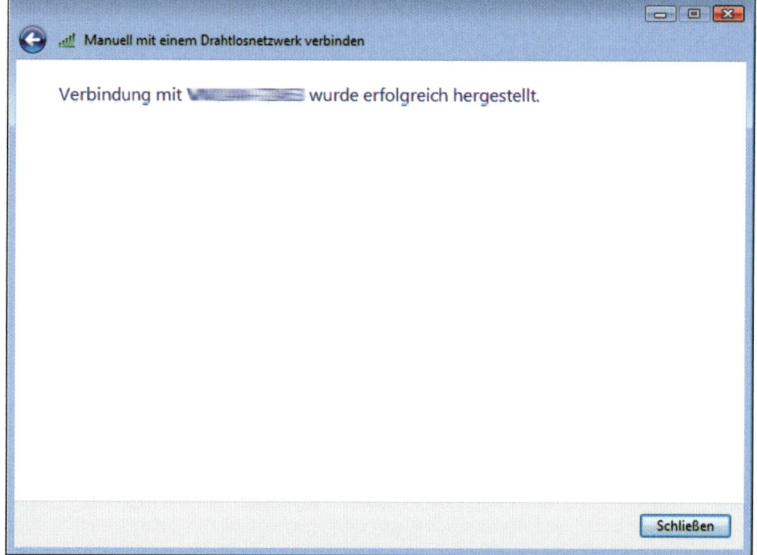

Wie schon Windows XP bringt auch Vista wieder serienmäßig eine Firewall mit, die – im Gegensatz zur XP-Variante – diesmal überraschend leistungsfähig ist. Leider ist sie weder einfach noch intuitiv zu bedienen. Hauptfunktion einer Firewall ist nicht etwa die Abwehr von Hacker-Angriffen, sondern die Zugriffskontrolle der installierten Software auf Netzwerke und das Internet. Allerdings macht sich die Windows-Firewall nicht die Mühe, Sie zu informieren, ob und welche Verbindung nach außen blockiert wurde.

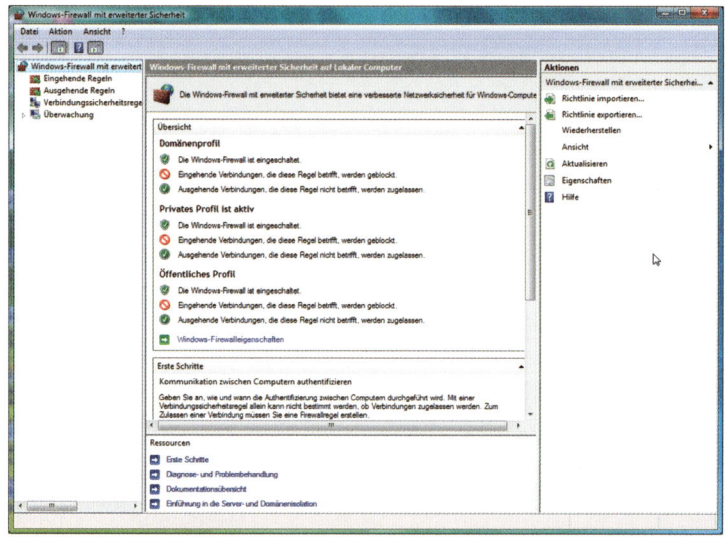

Um also die Verbindung für ein bestimmtes Programm gezielt zu blockieren, müssen Sie zunächst über **Start/Ausführen/WF.msc** die erweiterte Bedienungskonsole der Windows-Firewall aufrufen und die entsprechenden Verbindungsregeln von Hand eintragen.

Das Erstellen einfacher Zugriffsregeln können Sie aber auch bequemer haben.

1. Laden Sie sich die kostenlose Software Vista Firewall Control Free von der Website *http://sphinx-soft.com/Vista/order.html* herunter und installieren Sie diese.

   Versucht nun ein Programm, einen Kontakt über das Internet herzustellen, wird es sofort blockiert. Ein Fenster erscheint, zeigt Ihnen den Namen des Programms und fragt Sie nach der weiteren Vorgehensweise.

2. Durch Auswahl des entsprechenden Eintrags aus der Drop-down-Liste legen Sie fest, ob dem Programm der Zugriff zum Internet generell verwehrt (**DisableAll**) oder generell erlaubt (**EnableAll**) werden soll, ob Sie nur eingehende (**IncomingOnly**) oder nur ausgehende Verbindungen (**OutgoingOnly**) erlauben möchten.

3. Klicken Sie auf **Apply**, um die Einstellung permanent zu machen, oder auf **Apply Once**, um diese einmal auszuführen.

4. Doppelklicken Sie auf das Symbol der Firewall Control in der Taskleiste, um eine Übersicht Ihrer Firewall-Einstellungen zu erhalten, diese zu modifizieren (erstes Symbol in der Symbol-leiste) oder zu löschen (Papierkorbsymbol).

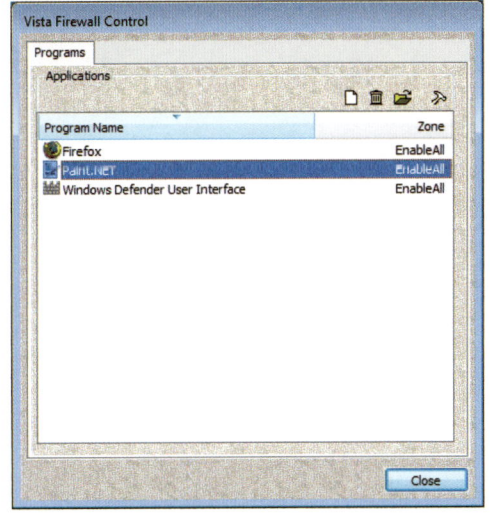

Sie betreiben Homebanking oder übermitteln häufig Kontodaten oder Kreditkarteninformationen in Onlineshops? Dann sollte Ihnen daran gelegen sein, dass Seiten von sicheren SSL-Servern (erkennbar an dem **https://** in der Adresse und dem Symbol mit dem geschlossenen Vorhängeschloss im Internet Explorer) nicht im Browsercache landen. Rein theoretisch könnten sie von dort wieder ausgelesen werden.

1. Starten Sie den Internet Explorer und wählen Sie **Extras/Internetoptionen**.

2. Öffnen Sie das Register **Erweitert**, setzen Sie ein Häkchen vor **Verschlüsselte Seiten nicht auf dem Datenträger speichern** und verlassen Sie diesen Dialog mit **OK**.

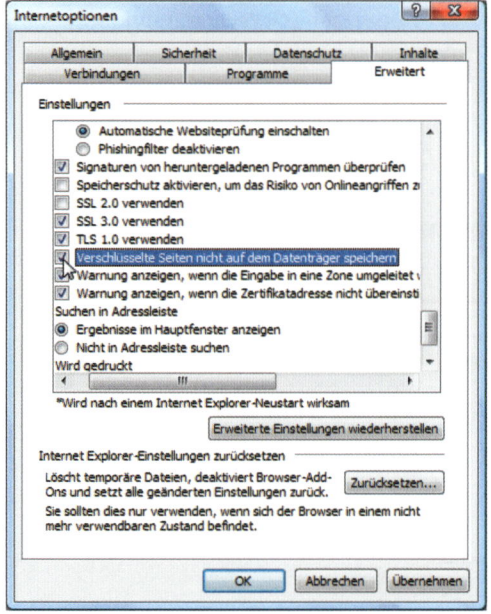

Doppelt hält besser, weshalb Sie jetzt noch eine sogenannte Policy definieren sollten. Diese Maßnahme bewirkt, dass der Wert über die Internetoptionen nicht mehr geändert werden kann. Egal, was dort angezeigt wird, Einstellungen in der Registrierung haben stets Vorrang.

3. Klicken Sie auf **Start/Ausführen**.

4. Geben Sie im **Ausführen**-Dialog **regedit** ein und klicken Sie auf **OK**.

5. Hangeln Sie sich im **Registrierungs-Editor** zum Ordner **HKEY_CURRENT_USER\Software\Policies\Microsoft\Windows\CurrentVersion\Internet Settings** durch.

6. Klicken Sie mit der rechten Maustaste in den freien Fensterbereich rechts und wählen Sie **Neu/DWORD-Wert (32-Bit)**.

7. Geben Sie diesem den Titel **DisableCachingOfSLLPages**.

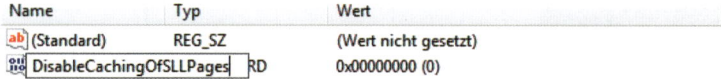

8. Doppelklicken Sie auf Ihren neuen Eintrag, weisen Sie ihm den Wert **1** zu und bestätigen Sie mit **OK**.

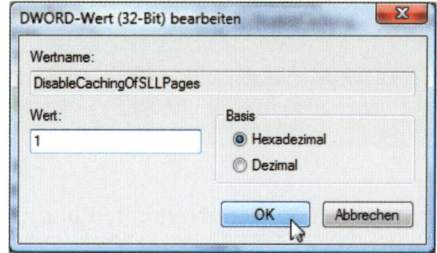

9. Beenden Sie den **Registrierungs-Editor**.

Kennwortrücksetzungsdiskette erstellen

Sollte ein Benutzer Ihres Computers sein Kennwort vergessen, haben Sie als Administrator Ihres Systems jederzeit die Möglichkeit, es zu verändern. Aber wenn Sie Ihr Administrator-Passwort vergessen und es keine weiteren Benutzer mit Administratorenrechten gibt? Im schlimmsten Fall müssten Sie Vista neu installieren. Wie gut, wenn Sie eine Kennwortrücksetzungsdiskette haben.

1. Klicken Sie auf **Start/Systemsteuerung/Benutzerkonten und Jugendschutz/Benutzerkonten**.

2. Wählen Sie im **Aufgaben**-Menü den Eintrag **Kennwortrücksetzungsdiskette erstellen** aus.

   Keine Angst, Sie brauchen kein Diskettenlaufwerk, USB-Stick oder Speicherkarte genügen vollkommen.

3. Verbinden Sie Speichermedium und Computer.

4. Klicken Sie auf **Weiter**.

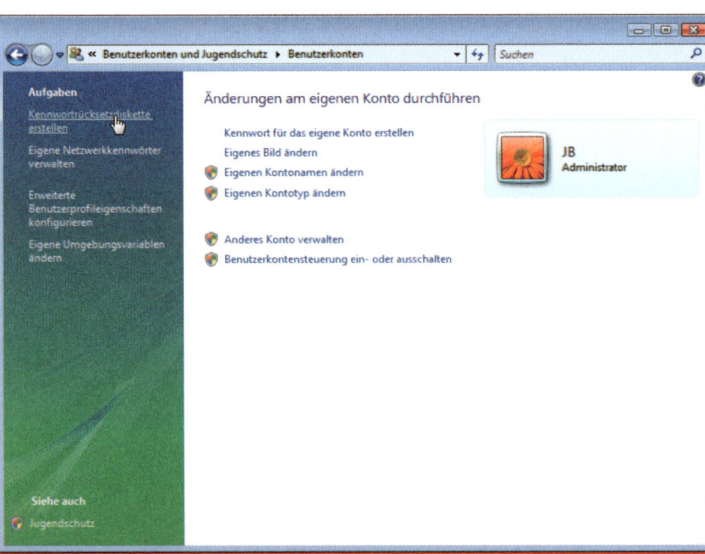

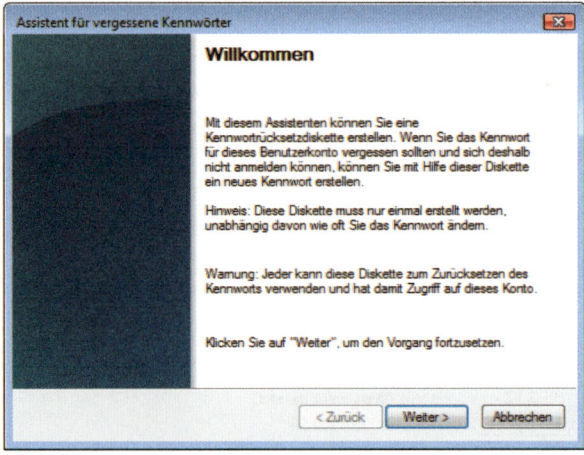

5. Wählen Sie das Speichermedium aus und bestätigen Sie mit **Weiter**.

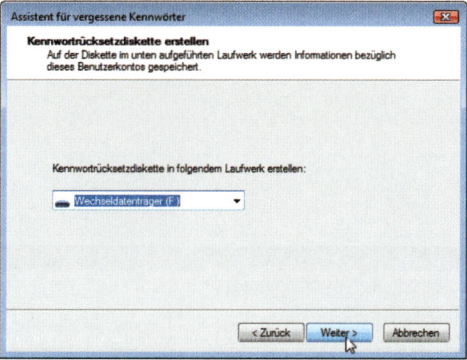

6. Geben Sie das aktuelle Benutzerkennwort, falls vorhanden, ein und klicken Sie auf **Weiter**.

7. Warten Sie, bis der Statusbalken **100%** erreicht hat, und klicken Sie auf **Weiter**.

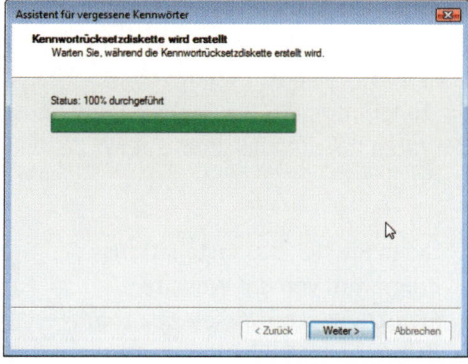

8. Klicken Sie auf **Fertig stellen**, trennen Sie das Speichermedium vom Computer und verwahren Sie es unbedingt an einem sicheren Ort.

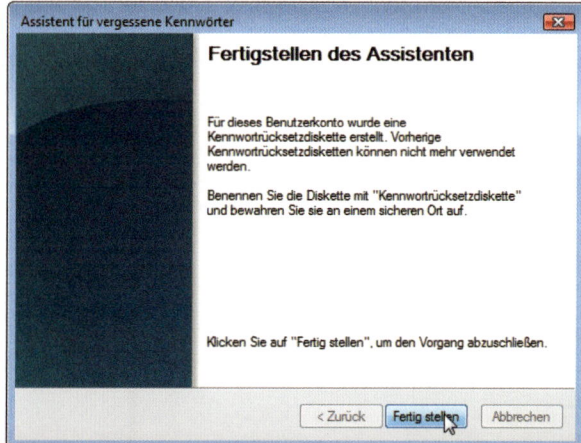

So schön, schnell und komfortabel der Internet Explorer 7 auch ist, sein schlechter Ruf ist geblieben. Ob dies berechtigt oder unberechtigt ist, sei dahingestellt. Tatsache ist jedoch, dass er für Angreifer infolge seiner weiten Verbreitung das ideale Ziel ist. Wir raten Ihnen daher, zum Firefox zu wechseln.

1. Laden Sie sich das Installationsprogramm von der Website **http://www.mozilla-europe.org/de/products/firefox** herunter und installieren Sie den Firefox.

   Jetzt müssen Sie ihn nur noch zum Standardbrowser machen.

2. Klicken Sie mit rechts auf die Taskleiste und wählen Sie **Eigenschaften**.

3. Klicken Sie im Register **Startmenü** auf **Anpassen**.

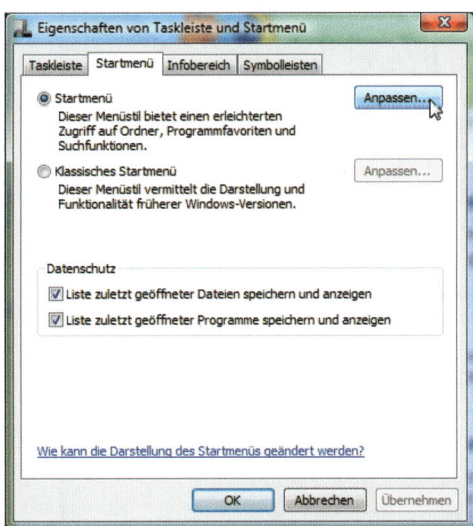

4. Markieren Sie in der Dropdown-Liste hinter **Internetlink** den Eintrag **Mozilla Firefox**.

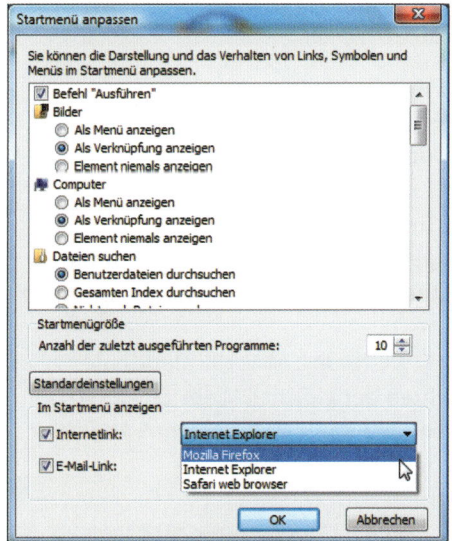

5. Schließen Sie die Dialogfenster **Startmenü anpassen** und **Eigenschaften von Taskleiste und Startmenü** jeweils durch Klicken auf **OK**.

Firefox bietet die Möglichkeit, ihn durch sogenannte Themes optisch an den eigenen Geschmack anzupassen und mit Erweiterungen (den Extensions) um zahlreiche Funktionen (etwa GMAIL-Unterstützung, Werbeblocker, Phishing-Abwehr und vieles mehr) aufzuwerten. Eine Vielzahl praktischer Erweiterungen finden Sie unter **http://www.erweiterungen.de**.

Aus der riesigen Zahl an verfügbaren Erweiterungen möchten wir Ihnen Adblock Plus besonders ans Herz legen.

Diese Erweiterung befreit Sie schnell und einfach von fast allen lästigen Werbeeinblendungen auf den Websites. Sie bekommen Adblock Plus natürlich kostenlos unter **http://adblockplus.org/de**.

Die Leistungsfähigkeit der Erweiterung ist verblüffend, wie die nebenstehenden Ansichten der gleichen Website zuerst im Internet Explorer 7 (oben) und dann im Firefox mit Adblock Plus (unten) eindrucksvoll zeigen.

Schließlich können Sie Ihren Firefox mit dem Theme myFireFox im Erscheinungsbild noch weiter an Vista anpassen.

Dateinamenserweiterungen sind an Dateinamen angefügte Zeichen, die angeben, mit welchem Programm die Datei geöffnet werden kann bzw. um was für eine Datei es sich handelt. Wir plädieren generell dafür, diese Dateinamenserweiterungen einzublenden. Allzu leicht wird sonst die harmlos aussehende Bilddatei **LUSTIG.GIF** mit dem netten GIF-Symbol im E-Mail-Anhang mal eben geöffnet und ein Schädling gelangt auf den Rechner. Meistens verhindert die hoffentlich vorhandene Antivirensoftware zwar das Schlimmste, dennoch kann es recht zeit- und arbeitsintensiv sein, solche Schadprogramme wieder loszuwerden. Mit der Dateinamenserweiterung hätte eine **LUSTIG.GIF.EXE** dagegen sofort Ihren Verdacht erweckt.

1. Klicken Sie im Explorer-Fenster auf **Organisieren/Ordner- und Suchoptionen**.

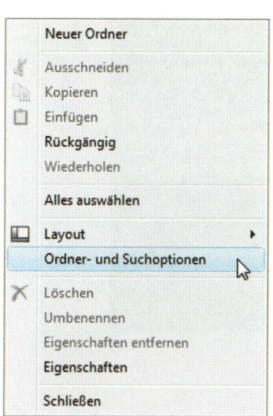

2. Wählen Sie im Dialog **Ordneroptionen** das Register **Ansicht** aus und entfernen Sie dort im Bereich **Erweiterte Einstellungen** das Häkchen vor **Erweiterungen bei bekannten Dateitypen ausblenden**.

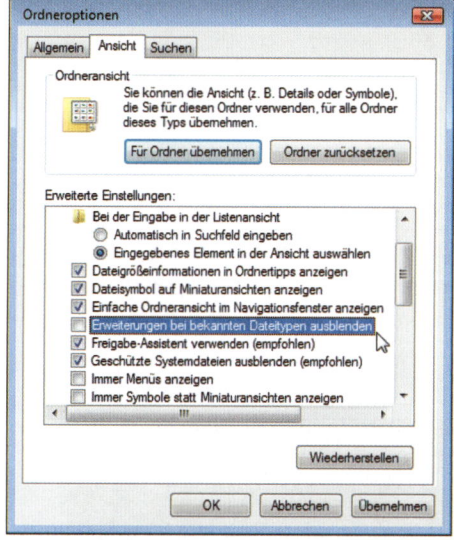

3. Klicken Sie auf **Übernehmen** und schließen Sie dann den Dialog mit **OK**.

Der Trend geht zum Zweitkonto, also einem eingeschränkten Benutzerkonto neben Ihrem Admin-Account. Mag sein, aber wo liegt der Unterschied? Ganz einfach: Während ein Administrator die Ausführung einer gewünschten Datei- und Ordnerfunktion nur bestätigen muss, wird beim eingeschränkten Benutzer die Funktion mangels Rechten abgelehnt. Potenzielle Angreifer können in einem geschützten Anwenderbereich kaum nennenswerten Schaden anrichten.

Ein solcher Zweitaccount ist leicht erstellt.

1. Klicken Sie auf **Start/Systemsteuerung/System und Wartung/ Begrüßungscenter**. Wählen Sie dort den Eintrag **Neue Benutzer hinzufügen**.

2. Klicken Sie im oberen Bereich auf **Benutzerkonten hinzufügen**.

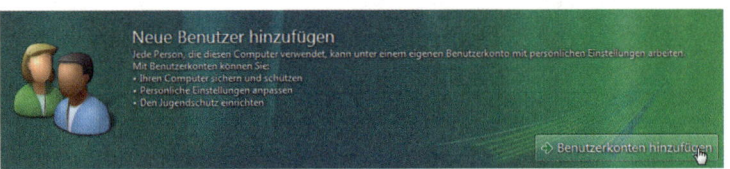

3. Im Bereich **Benutzerkonten** wählen Sie **Benutzerkonto hinzufügen/entfernen**.

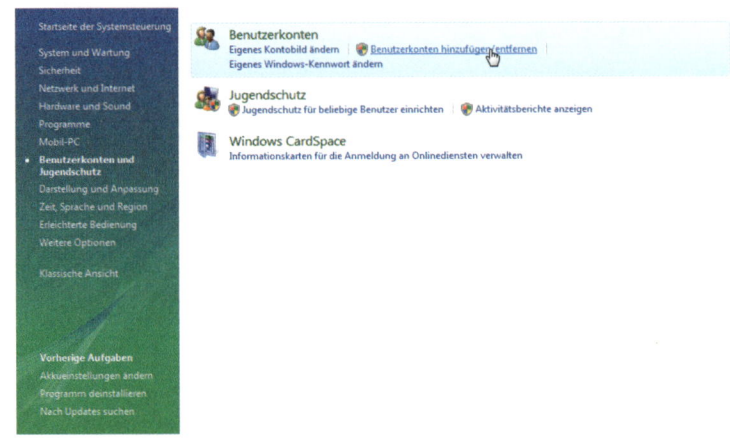

4. Klicken Sie auf den Eintrag **Neues Konto erstellen**.

5. Geben Sie dem neuen Konto einen Namen, aktivieren Sie die Option **Standardbenutzer** und klicken Sie auf **Konto erstellen**.

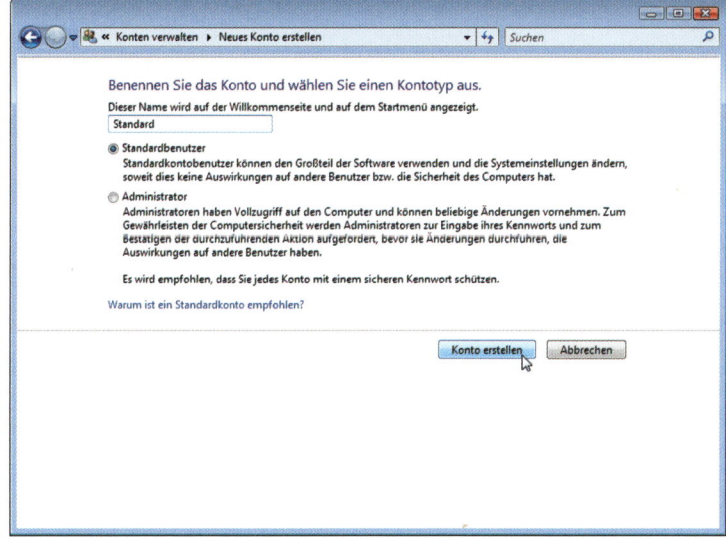

Wir erwähnten es bereits: Surfen im Internet, der Empfang von E-Mails usw. sollte niemals ohne Firewall und Antivirensoftware – natürlich mit aktueller Virendefinition – erfolgen. Achtung: Der Windows-Defender schützt, obgleich es der Name vermuten ließe, nicht vor Computerviren. Sich mit Hinweis auf den hohen Preis solcher Programme zu entschuldigen, zählt nicht. Ordentliche Virenscanner gibt es längst als Freeware. Drei im Leistungsumfang ähnliche Freeware-Programme möchten wir Ihnen hier in subjektiver Rangfolge vorstellen.

Unser Favorit ist avast! Home. Sie bekommen die Software kostenlos unter *http://avast.at/download.htm*. Es gibt eine deutschsprachige Version, und um den erforderlichen Lizenzschlüssel zu erhalten, ist lediglich eine unverbindliche Registrierung notwendig.

Ohne Registrierung, aber leider nur in englischer Sprache verfügbar, ist AVG Anti-Virus Free, das Sie beispielsweise von der Site *www.chip.de/downloads/c1_downloads_12996954.html* herunterladen können.

Nur auf Platz drei, obgleich es sich mit vielen Preisen schmückt, landet bei uns Avira AntiVir. Sie können es unter *www.free-av.de/antivirus/allinoned.html* herunterladen. Die Bedienoberfläche ist deutschsprachig, und auch funktionsmäßig gibt es nichts zu beanstanden. Als äußerst störend dagegen empfinden wir das riesige Werbefenster, das nach jeder Aktualisierung der Virendefinitionen bzw. der Programmversion auftaucht und dem eigentlich nur durch direkten Eingriff in die Windows-Registrierung beizukommen ist. Für uns ist AntiVir damit schon fast Adware (durch Werbung finanzierte, kostenlose Programme).

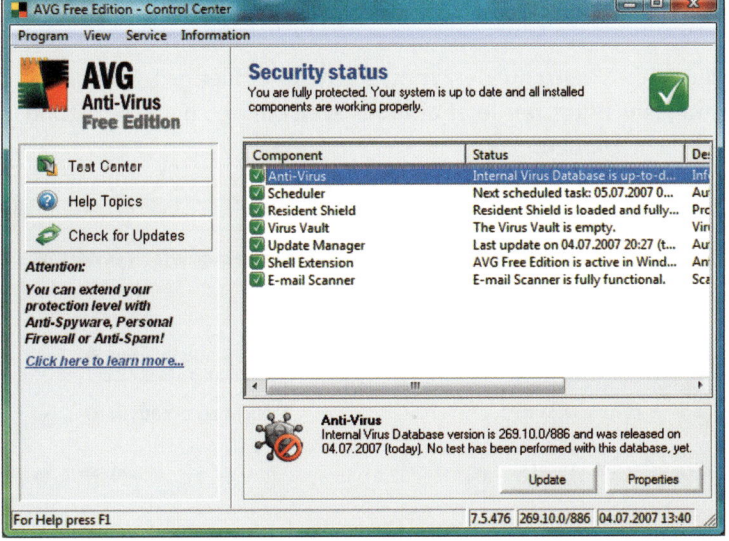

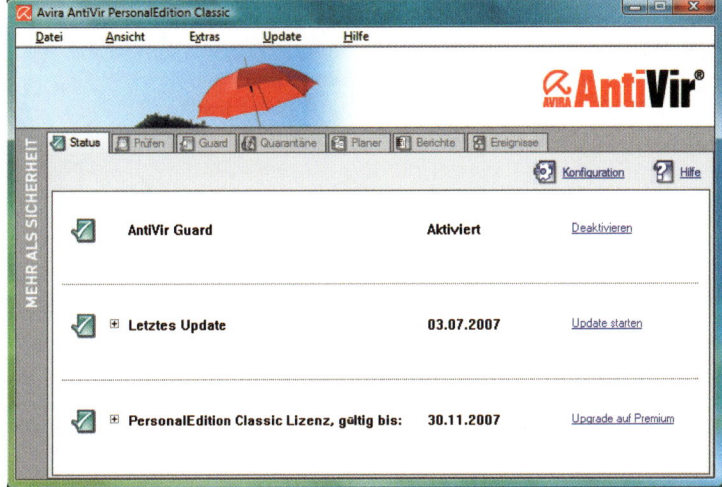

Zum effektiven Schutz Ihres Notebooks muss die Antiviren-software stets auf dem aktuellen Stand sein. Normalerweise aktualisieren sich Antivirenprogramme automatisch. Sofern nötig, können Sie ein Update der Virendefinition aber auch manuell starten.

1. Klicken Sie auf **Systemsteuerung** und wählen Sie den Punkt **Sicherheit** aus.

2. Klicken Sie im Folgedialog auf **Sicherheitscenter**.

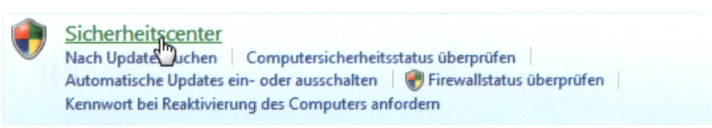

3. Wählen Sie **Schutz vor schädlicher Software** aus.

Wurde Ihr Virenschutz erkannt, erscheint er hier gelistet und kann, falls nötig, per **Jetzt aktualisieren** auf den neuesten Stand gebracht werden.

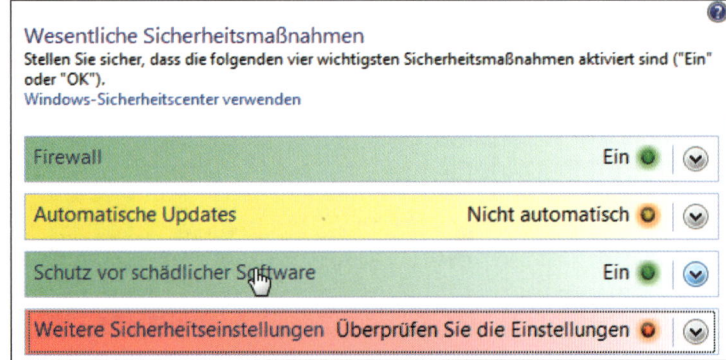

Outlook Express ist tot, der Nachfolger heißt Windows Mail und – nein, wir wollen Ihnen jetzt nicht erklären, wie man eine E-Mail schreibt. Das ist uns nicht *toll* genug. Da Sie aber (hoffentlich) bereits auf den Firefox umgestiegen sind, wollen wir Ihre Aufmerksamkeit auch auf den Thunderbird, ebenfalls aus dem Hause Mozilla, lenken. Wirklich schlecht ist Windows Mail nicht, seine weite Verbreitung macht es jedoch wie den Vorgänger Outlook Express zum idealen Angriffsziel für die Autoren von Schadprogrammen, was eine unendliche Folge von Sicherheitsupdates nach sich zieht. Der Thunderbird unterstützt RSS-Feeds und Newsgroups, für die Sicherheit sorgen unter anderem Phishing- und Spamfilter. Ähnlich wie beim Firefox-Kollegen können Sie ihn mit Erweiterungen und Themes funktionell und optisch Ihren Bedürfnissen anpassen. Den Thunderbird gibt es in Deutsch kostenlos unter **www.mozilla-europe.org/de/products/thunderbird**.

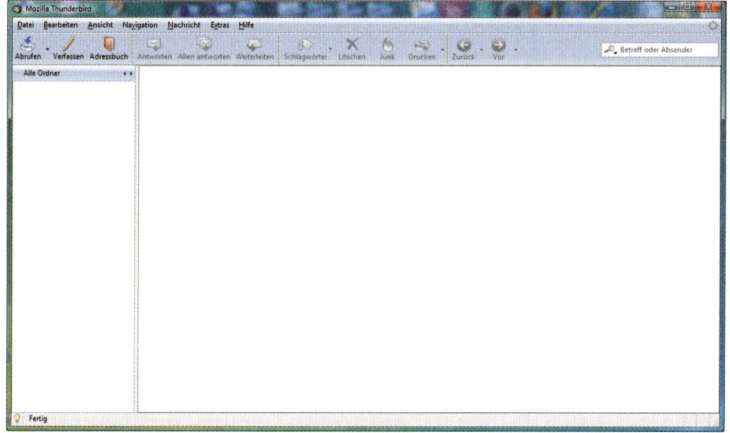

Vergessen Sie nicht, den Thunderbird nach der Installation als Standard-E-Mail-Programm im Startmenü festzulegen.

Microsoft muss ja nicht alles wissen, was auf dem eigenen Computer so abläuft. Die bekannten Programme xp-AntiSpy und XPY schränkten bereits die Mitteilungsfreudigkeit von Windows XP ein. Aus der Feder von Jan T. Scott, dem Entwickler von XPY, kommt jetzt die Freeware Vispa für Windows Vista. Sie verbessert die Sicherheit und erhöht die Leistung und den Komfort. Natürlich können Sie auch selbst in der Registrierung oder den jeweiligen Programmen die entsprechenden Veränderungen vornehmen, doch warum sollte man es sich unnötig schwer machen? Wir helfen Ihnen bei den Einstellungen.

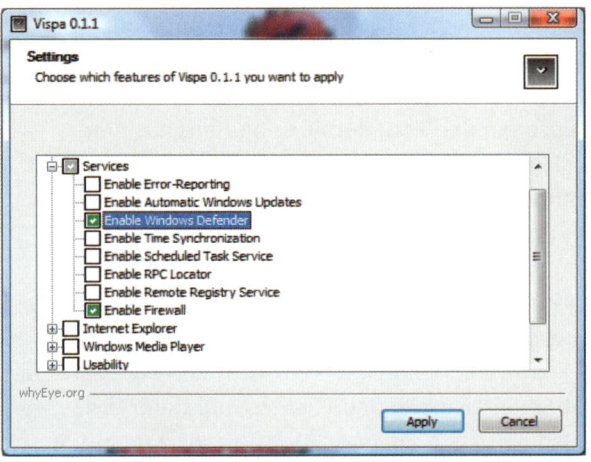

1. Laden Sie sich Vispa unter *http://vispa.whyeye.org* herunter, entpacken Sie die **ZIP**-Datei in ein beliebiges Verzeichnis, öffnen Sie den Ordner und starten Sie die Datei **vispa.exe**.

2. In der Kategorie **Generals** sind keine zusätzlichen Einstellungen nötig.

3. In der Kategorie **Services** setzen Sie ein Häkchen vor **Enable Windows Defender** und **Enable Firewall**.

4. Unter **Internet Explorer** würden wir zu Häkchen vor **Enable ActiveX**, **Enable JavaScript**, **Enable SSL 2.0** und **Enable Phishing Filter** raten.

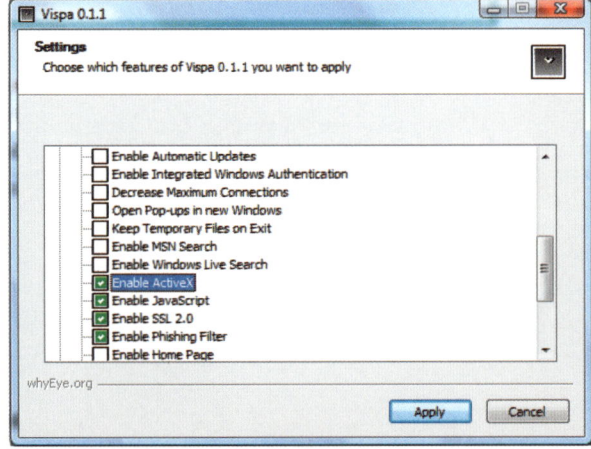

Tipp

Diese Einstellungen bergen zwar ein gewisses Sicherheits-
risiko, aber die Seiten vieler Onlineshops funktionieren nicht
mehr richtig, wenn die Skripte ausgeschaltet sind.

5. In der Kategorie **Media Player** nehmen Sie keine Veränderungen vor.

6. Unter **Usability** setzen Sie ein Häkchen vor **Enable AutoRun**.
Die restlichen Einstellungen lassen Sie unverandert.

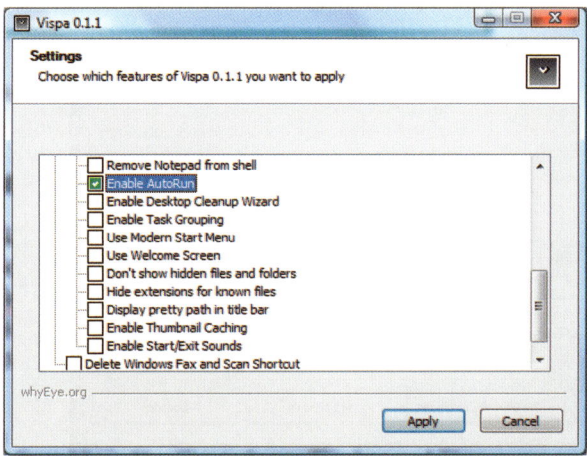

7. Starten Sie die Opti-
mierung per Klick auf
Apply.

Nun ändert Vista Pro-
grammzuordnungen
und Schlüssel in der
Registrierung.

Einen ähnlichen Funk-
tionsumfang, dazu mit
deutscher Oberfläche,
bietet das ebenfalls
kostenlose xp-AntiSpy,
das Sie auf *http://
xp-antispy.org* erhalten.

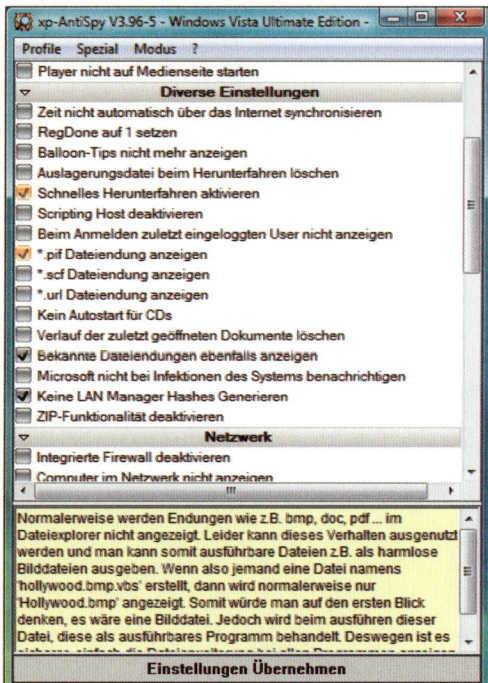

Tipp

Beim nächsten Start von Vispa besteht die Möglichkeit, per
Restore die ursprüngliche Konfiguration von Vista zurückzu-
holen oder mit **Standard** weitere Elemente zu aktivieren bzw.
zu deaktivieren.

Wird das Notebook von mehreren Nutzern mit Administratorenrechten benutzt, kann es mitunter nützlich sein, sensible Daten einfach unauffällig zu verstecken. Das kostenlose Programm TrueCrypt kann neben dem Verschlüsseln von Ordnern, kompletten Partitionen oder ganzen Festplatten (die dafür allerdings leer sein müssen) sogenannte Container erzeugen, gewissermaßen virtuelle, verschlüsselte Laufwerke.

Solche Container können jede beliebige Dateiendung tragen (MP3, GIF, TXT, SYS, DLL usw.), an jedem beliebigen Ort gespeichert werden und sind damit absolut unauffällig. Zur Verschlüsselung stehen verschiedene Algorithmen zur Verfügung. TrueCrypt erhalten Sie unter *www.truecrypt.org*, die deutsche Sprachdatei finden Sie auf *www.truecrypt.org/localizations.php*.

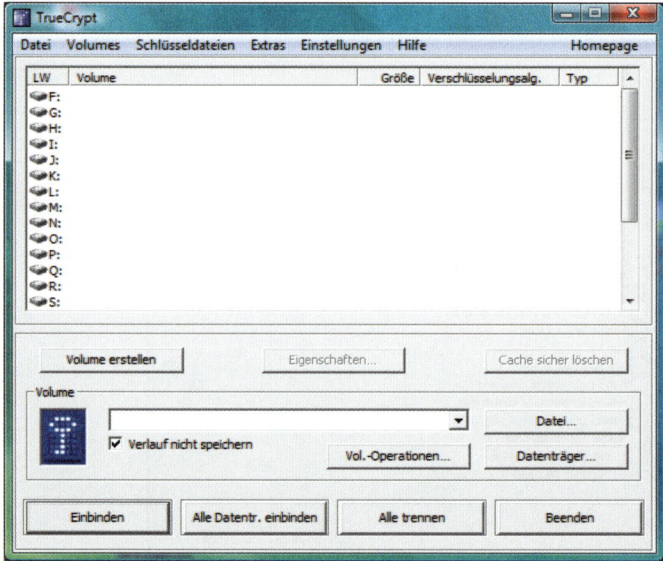

Die Verschlüsselung der kompletten Festplatte ist etwa dann sinnvoll, wenn Sie mit dem Notebook häufig unterwegs sind und dabei sensible Informationen transportieren oder wenn Sie dem Partner, Kollegen oder Mitbewohner(n) nicht über den Weg trauen. Bei Verlust des Notebooks oder dem Versuch, es unberechtigt zu nutzen, kommt niemand an Ihre Daten heran.

Die perfekte Lösung für diese Aufgabe ist das kostenlose Free Compusec, das Sie sich unter **www.ce-infosys.com.sg/deutsch/ downloads/free_compusec/index.html** herunterladen können. Bitte beachten Sie vor der Installation unbedingt die Hinweise des Herstellers, keine Bootloader, Partitionierungsprogramme u. Ä. zu verwenden. Während der Installation legen Sie bereits bestimmte Features fest. Sehr zu empfehlen ist die Passwortabfrage schon vor dem Booten. Niemand kann so unautorisiert auf Ihr Notebook zugreifen.

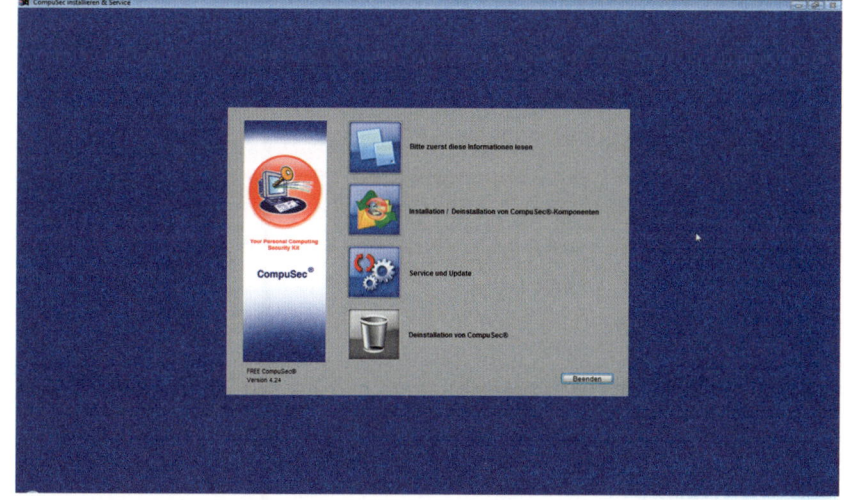

Tipp

Erstellen Sie unbedingt ein Backup der Dateien vor deren Verschlüsselung, um bei eventuell auftauchenden Problemen auf der sicheren Seite zu sein. Gehen Sie umsichtig vor und nutzen Sie eine so tief greifende Verschlüsselung nur bei echtem Bedarf. Derartige Operationen erfolgen stets auf eigene Gefahr.

Spyware und Schadsoftware lauern überall. Dagegen setzt Windows den Defender ein, eine Art Schutzprogramm, das Festplatten und andere Laufwerke überprüfen und gegebenenfalls bereinigen kann. Um es gleich vorwegzunehmen: Der Windows-Defender ist keine Antivirensoftware. Seine Aufgabe besteht lediglich im Schutz vor Spionagesoftware und vor Manipulationen an Ihrem Betriebssystem.

Warum aber ist dieses durchaus sinnvolle Programm bei vielen Nutzern noch nie gelaufen? Nun, der Defender ist von Haus aus so eingestellt, dass die Überprüfung täglich um zwei Uhr nachts durchgeführt werden soll. Viele Notebooks sind zu dieser Zeit längst abgestellt.

1. Starten Sie den Defender über **Start/Systemsteuerung/Sicherheit/Windows-Defender** oder geben Sie **defender** ins Suchfeld des Startmenüs ein und starten Sie das Ergebnis.

2. Klicken Sie oben auf die Schaltfläche **Überprüfung**.

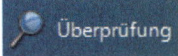

Der Suchlauf startet. Sollte Schadsoftware gefunden werden, können Sie diese entfernen lassen oder in Quarantäne stecken.

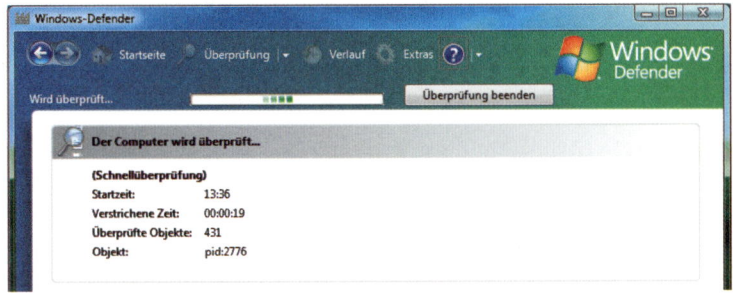

3. Klicken Sie auf **Verlauf**.

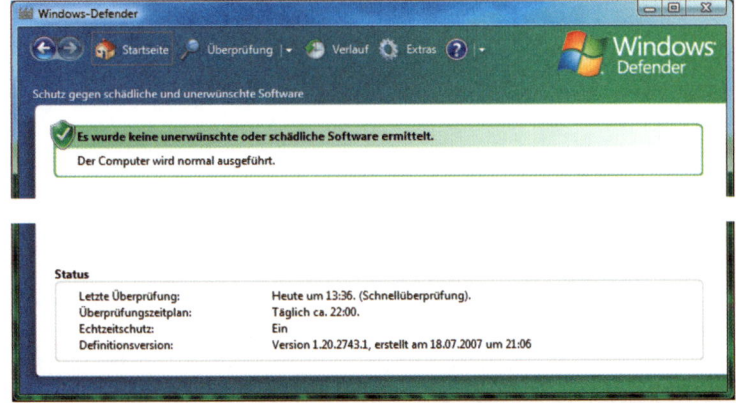

Hier finden Sie alle Programm- und Systemfunktionen aufgelistet, die der Defender als problematisch ansieht.

4. Markieren Sie einen Eintrag, um Informationen über die Datei und Empfehlungen über das weitere Vorgehen zu erhalten.

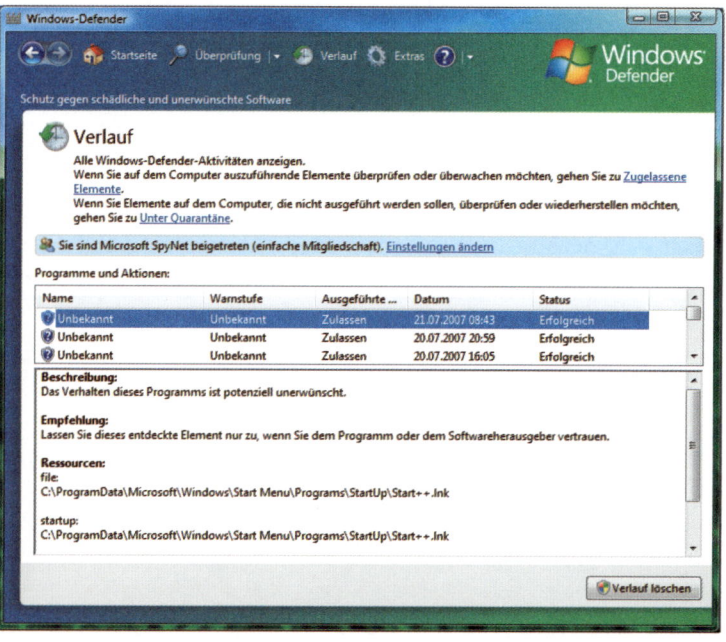

5. Klicken Sie auf **Extras**.

   In diesem Bereich stehen Ihnen Werkzeugprogramme und zusätzliche Informationen zum Thema Sicherheit zur Verfügung.

6. Wählen Sie den Punkt **Optionen** aus.

7. Stellen Sie hier im Bereich **Automatische Überprüfung** im
Dropdown-Menü **Geschätzte Zeit** einen Zeitpunkt ein, zu dem
Ihr Notebook mit großer Sicherheit noch läuft. Entfernen Sie
das Häkchen vor **Computer automatisch überprüfen**, sofern
Sie keine automatische Überprüfung wünschen.

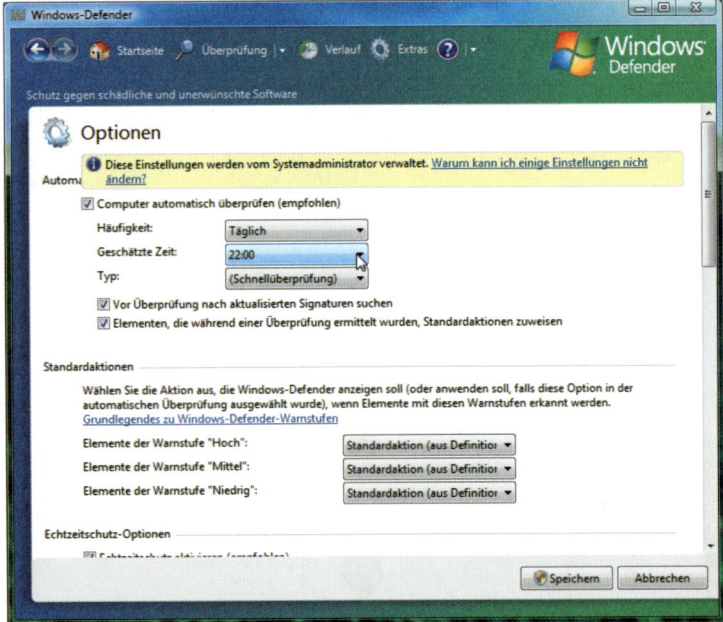

8. Klicken Sie auf **Speichern**, um Ihre Einstellungen zu sichern.

Gut zu wissen

Nun stehen jene kleinen Raffinessen auf dem Programm, die erst bei näherem Hinsehen auffallen. Es geht um Besitzrechte, verschwundene Symbole und Tastenkürzel. Sie erfahren, wie Sie Dateien und Ordner einfach „abhaken". Weitere Themen sind Sprechblasen, Mausgesten, Symbolleisten, Schalter und eine ganze Menge mehr.

49 Dateiinhalte einsehen, ohne sie zu öffnen

Der neue, überarbeitete Explorer von Windows Vista bietet die Möglichkeit, Inhalte von Dateien einzusehen, ohne diese öffnen zu müssen. Diese auf Plug-Ins basierende Funktion unterstützt unter anderem die Formate **TXT**, **DOC**, **JPG**, **XLS**, **PDF** und **PPT**.

1. Klicken Sie im Explorer-Fenster auf **Organisieren**.

2. Wählen Sie **Layout/Vorschaufenster** aus.

3. Sobald Sie nun im Explorer eine Datei im unterstützten Format markieren, erhalten Sie im rechten Fensterteil eine Vorschau ihres Inhalts.

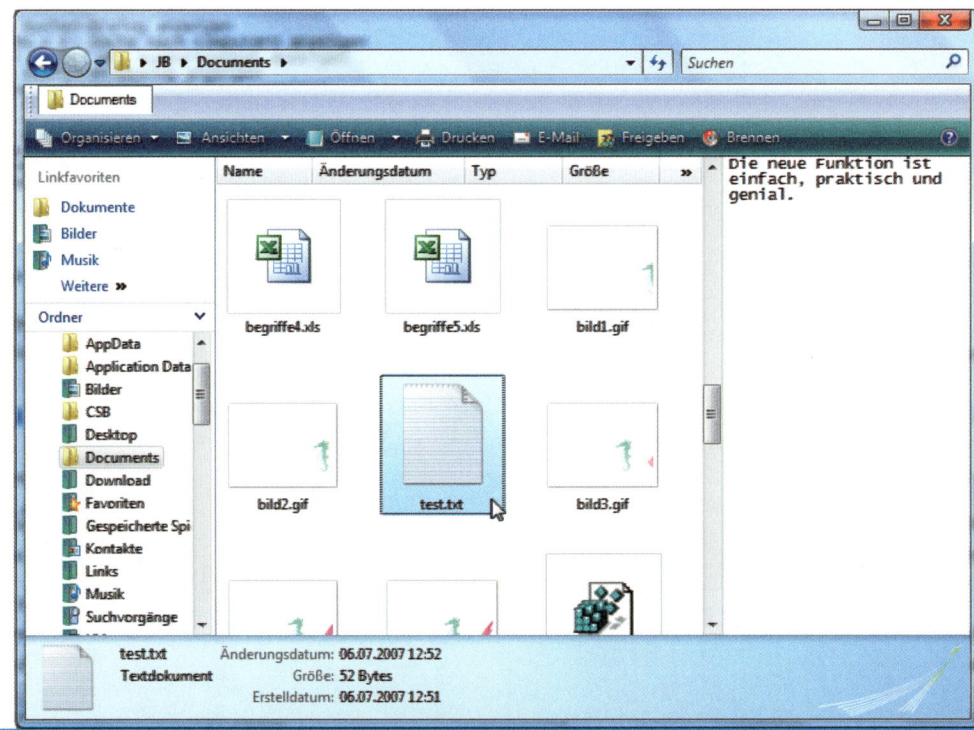

Mit Tastaturkombinationen funktionieren viele Dinge schneller als mit der Maus. Man muss sie sich nur merken.

Hier haben wir die wichtigsten für Sie:

⊞	Startmenü anzeigen
⊞+D	Alle Fenster minimieren oder wiederherstellen
⊞+E	Windows-Explorer öffnen
⊞+F	Suchen-Dialog anzeigen
⊞+Strg+F	Suche nach Computern anzeigen
⊞+F1	Hilfe- und Supportcenter anzeigen
⊞+G	Zeigt die Sidebar. Jedes weitere Drücken auf G wechselt die Minianwendungen.
⊞+Pause	Systemeigenschaften anzeigen
⊞+L	PC/Notebook sperren
⊞+M	Minimiert alle Fenster, lässt aber die Sidebar stehen
⊞+R	Ausführen-Dialog anzeigen
⊞+U	Hilfsprogramm-Manager öffnen
⊞+Q	Benutzer wechseln
⊞+X	Mobilcenter starten
⊞+⇆	Anwendung wechseln mit Flip 3D
Alt+⇆	Anwendung wechseln (Flip)
⊞+Leertaste	Sidebar ein-/überblenden
Strg+⇧+Esc	Task-Manager

Ist man als Administrator auf seinem Notebook angemeldet, sollte doch der uneingeschränkte Zugriff auf alle Dateien des Systems möglich sein. Weit gefehlt! In vielen Fällen ist man nicht mal Besitzer der Datei. Aber es kommt noch besser: Ein Konto mit dem Namen **TrustedInstaller** hat den Vollzugriff. Unerhört, das schreit ja förmlich nach Änderung.

Beim Versuch, als Administrator Dateien im Ordner **Windows\System32** umzubenennen, erhält man folgende Fehlermeldung:

Tipp

Die Dateien in diesen Ordnern sind zur einwandfreien Funktion von Vista wichtig und sollten darum in der Regel unverändert bleiben. Tun Sie es trotzdem, gefährden Sie unter Umständen die Stabilität Ihres Systems.

Um das zu ändern, muss in vielen Fällen zunächst der Besitzer der Datei ermittelt und ggf. gewechselt werden. Anschließend werden die Zugriffsrechte modifiziert.

1. Klicken Sie mit rechts auf die betreffende Datei und wählen Sie **Eigenschaften** aus dem Menü.

2. Klicken Sie im Register **Sicherheit** auf **Erweitert**.

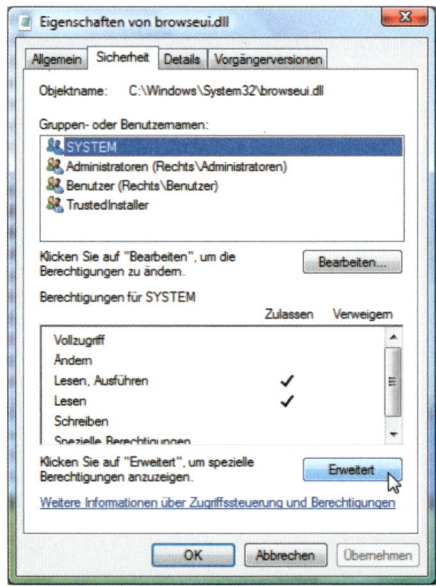

3. Öffnen Sie das Register **Besitzer**, in dem der aktuelle Besitzer der Datei angezeigt wird, und klicken Sie auf **Bearbeiten**.

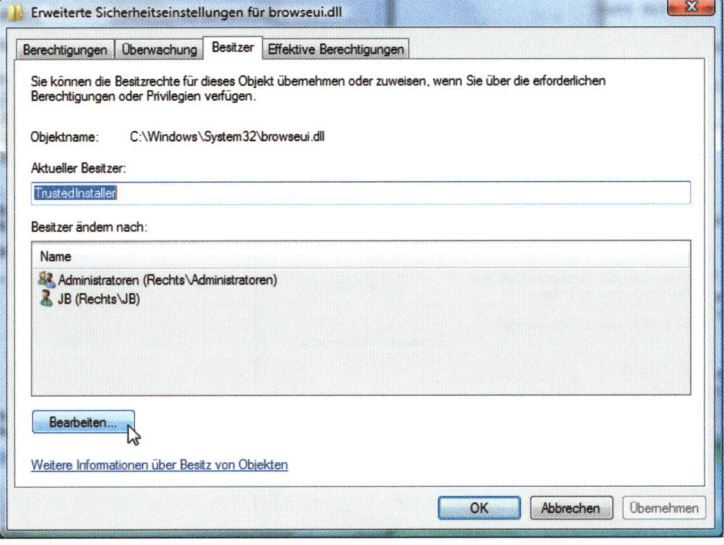

4. Markieren Sie unter **Besitzer ändern nach** den Eintrag **Administratoren (...)** und bestätigen Sie mit **OK**.

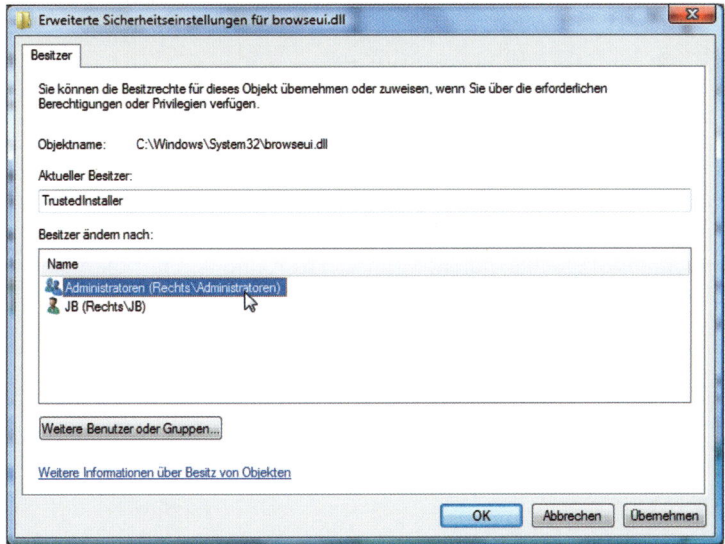

5. Quittieren Sie den Warnhinweis mit **OK**.

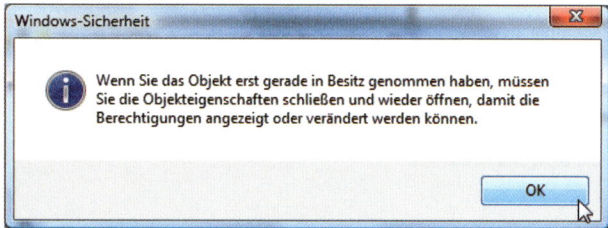

6. Schließen Sie alle Objekteigenschaften und wiederholen Sie die ersten beiden Schritte.

7. Im Register **Sicherheit** betätigen Sie allerdings diesmal die Schaltfläche **Bearbeiten**.

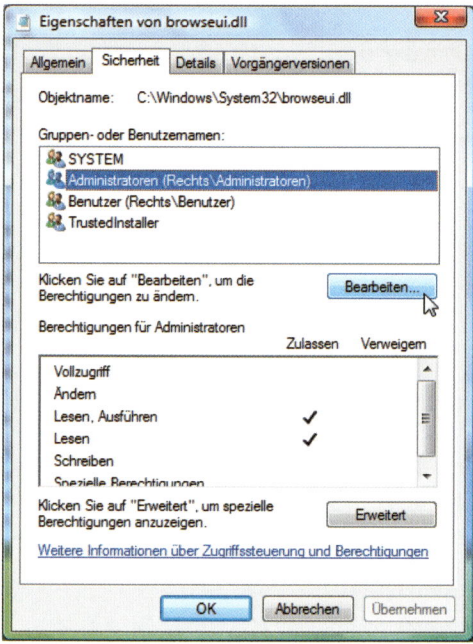

8. Markieren Sie **Administratoren (...)** unter **Gruppen- oder Benutzernamen**, setzen Sie unten im Bereich **Berechtigungen für Administratoren** in der Reihe **Zulassen** ein Häkchen hinter **Vollzugriff** und verlassen Sie das Fenster mit **OK**.

9. Schließen Sie den auftauchenden Hinweis per Klick auf **Ja**.

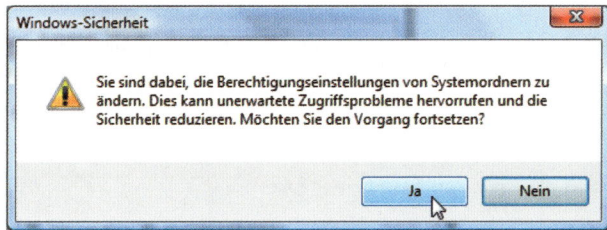

52 Internet Explorer-Symbol auf den Desktop „zaubern"

Zu Zeiten von Windows XP und seinen Vorgängern war es ein Kinderspiel, das IE-Icon auf den Desktop zu bringen: Einfach das Symbol im Dialog-Fenster markieren, und schon war es da. Unter Vista sucht man diese Möglichkeit im Dialog **Desktopsymboleinstellungen** vergebens. Nun können Sie sich natürlich eine einfache Verknüpfung zum IE auf den Desktop legen, diese hat dann aber auch nur die Eigenschaften einer Verknüpfung. Wie bekommt man also ein „vollwertiges" Symbol?

1. Klicken Sie auf ⊞+Ⓡ, um das **Ausführen**-Fenster einzublenden.

2. Geben Sie **regedit** ein und bestätigen Sie mit ↵.

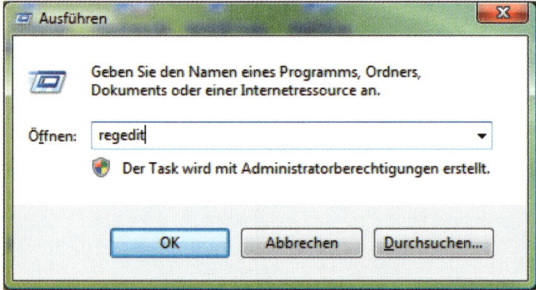

3. Wählen Sie im **Registrierungs-Editor** den Schlüssel **HKEY_LOCAL_MACHINE** aus.

4. Navigieren Sie zu dem Speicherort unter dem Schlüssel: **HKEY_LOCAL_MACHINE\SOFTWARE\Microsoft\Windows\ CurrentVersion\explorer\HideDesktopIcons\NewStartPanel.**

5. Markieren Sie **NewStartPanel**.

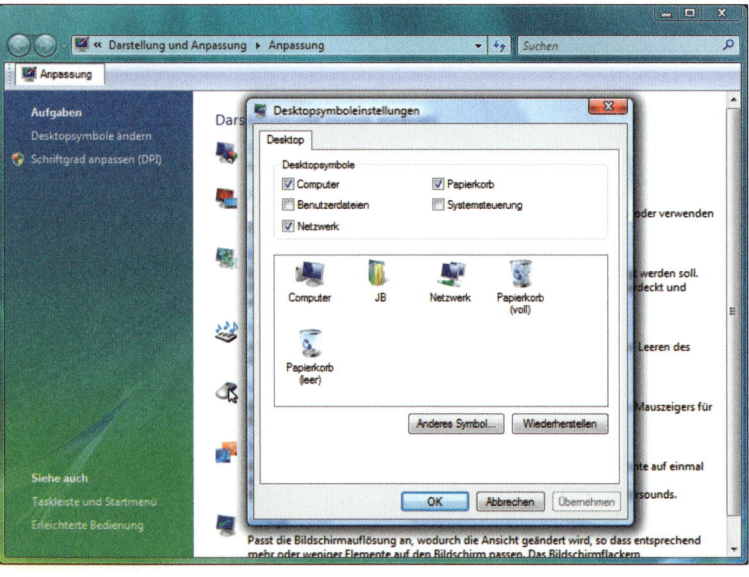

6. Klicken Sie mit rechts in den rechten Fensterbereich und wählen Sie **Neu/DWORD-Wert (32-Bit)** aus.

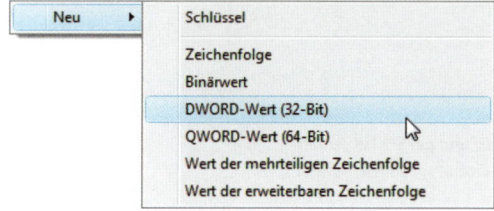

7. Geben Sie **{871C5380-42A0-1069-A2EA-08002B30309D}** als Namen für den **DWORD-Wert** ein und drücken Sie ⏎.

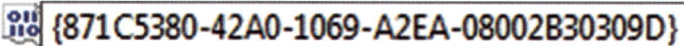

8. Doppelklicken Sie auf den neuen Wertnamen und überprüfen Sie, ob dessen **Wert** auf **0** mit **Basis Hexadezimal** steht.

9. Schließen Sie das Fenster mit **OK** und auch den **Registrierungs-Editor**.

10. Melden Sie sich am Notebook ab und anschließend wieder an.

Nun steht das Desktopsymbol zur Verfügung.

53 Versteckte Einträge im Mausmenü

Das Mausmenü hält ein paar versteckte Einträge bereit, die zu kennen mitunter recht praktisch sein kann.

Sobald Sie bei gedrückter ⇧-Taste mit der rechten Maustaste auf eine Datei oder einen Ordner klicken, werden zusätzliche nützliche Einträge im Kontextmenü eingeblendet.

Tipp

Je nach Art der ausgewählten Datei kann die Anzahl der zusätzlich eingeblendeten Einträge abweichen.

Wird der Windows-Explorer gestartet, so öffnet sich das Verzeichnis **Documents** anstelle der **C:**-Partition. Das lässt sich aber verhältnismäßig einfach ändern.

1. Erstellen Sie eine Verknüpfung des Windows-Explorers auf dem Desktop.

2. Klicken Sie mit rechts auf die Verknüpfung, wählen Sie **Eigenschaften** aus und öffnen Sie das Register **Verknüpfung**.

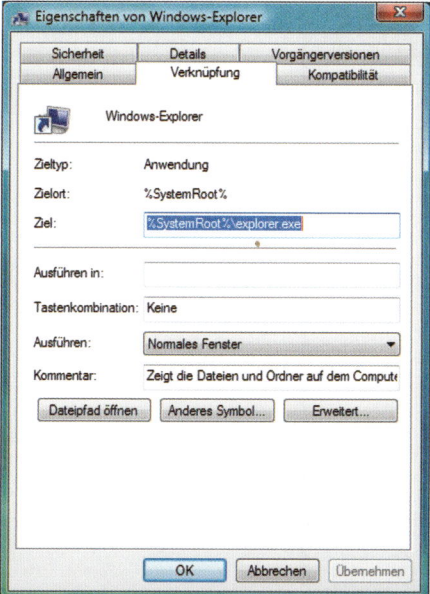

Unter **Ziel** steht der Pfad **%SystemRoot%\ explorer.exe**.

3. Ändern Sie diesen in: **%SystemRoot%\ explorer.exe /n, /e, c:** um.

4. Verlassen Sie das Fenster mit **OK**.

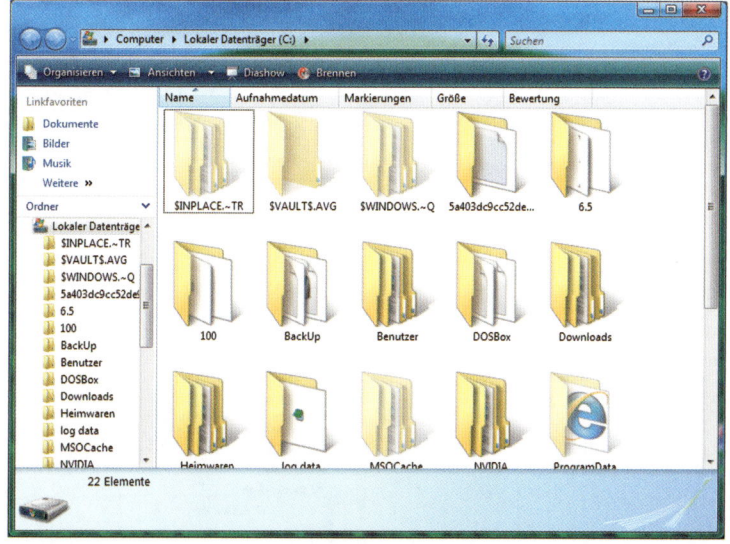

55 Dateien per Häkchen auswählen

Wenn Sie mehrere Dateien bearbeiten wollen, müssen Sie diese im Windows-Explorer markieren. Das setzt manchmal etwas Geschicklichkeit voraus, da einzelne Dateien bei gedrückter Strg-Taste zu markieren sind. Umso netter von Microsoft, dass in Windows Vista eine neue Markierungsmethode zur Verfügung steht – das Markieren per Kontrollkästchen – und so Dateien und Ordner einfach per Ankreuzen ausgewählt werden können. Weniger nett ist hingegen der Umstand, dass Microsoft diese Methode versteckt und zunächst ausgeschaltet hat.

1. Öffnen Sie ein Explorer-Fenster, klicken Sie auf **Organisieren** und wählen Sie den Menüpunkt **Ordner- und Suchoptionen** aus.

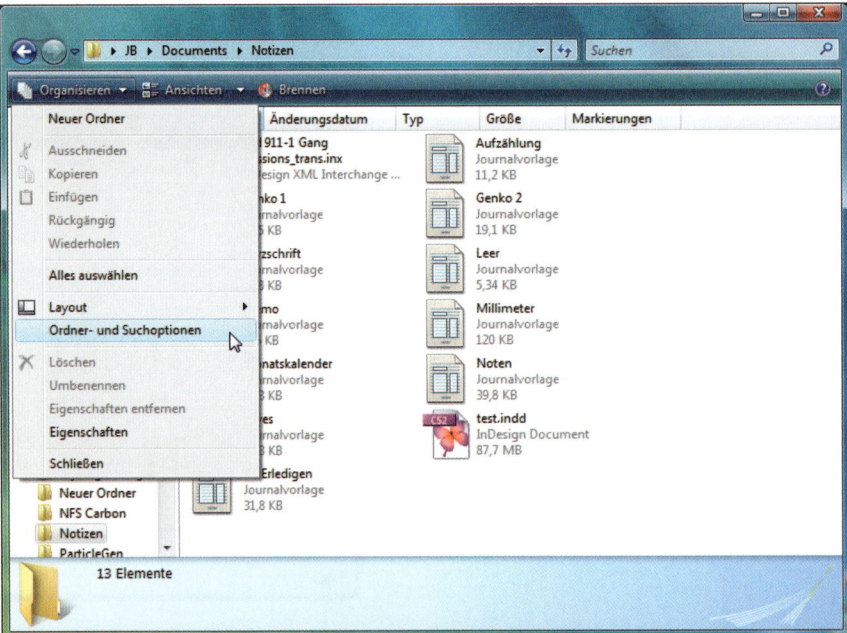

2. Wechseln Sie in das Register **Ansicht**, setzen Sie ein Häkchen vor **Kontrollkästchen zur Auswahl von Elementen verwenden** und schließen Sie das Fenster mit **OK**.

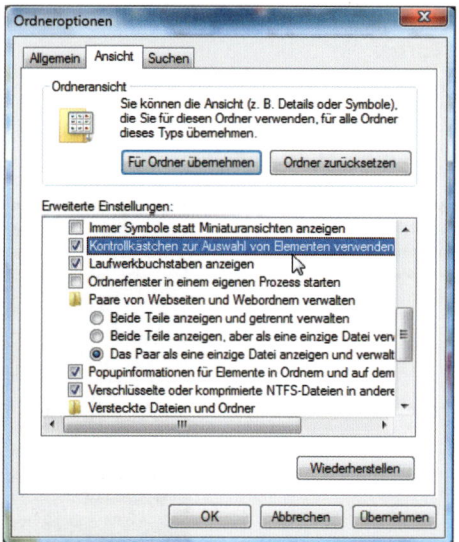

Jetzt erscheinen im Explorer neben den Dateisymbolen kleine Checkboxen, mit denen sich die zu markierenden Dateien ganz bequem ankreuzen lassen.

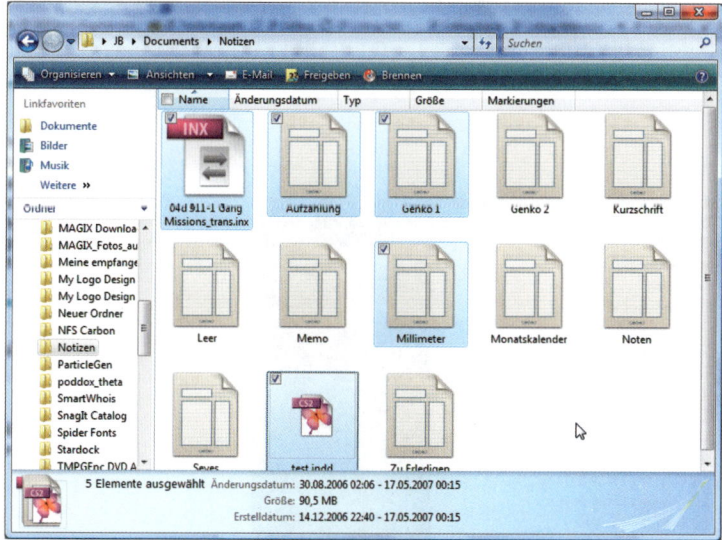

Tipp

Klicken Sie beim Ankreuzen mehrerer Dateien oder Ordner auf das jeweilige Kontrollkästchen, sonst funktioniert es nicht.

Das Startmenü hat sich im Gegensatz zu Windows XP grundlegend verändert. Das aufklappende Programme-Menü gehört der Vergangenheit an und wurde durch eine einfache Liste der Programme ersetzt. Anfangs störte uns das schon, doch dank der nun vorhandenen Suchfunktion braucht man die neue Darstellung nur noch in Ausnahmefällen.

Angenommen, Sie suchen das Programm Word 2003. Sie könnten es nun über **Start/Alle Programme/Microsoft Office/Microsoft Office Word 2003** starten. Oder Sie geben einfach **word** in das Suchfeld ein, drücken die ⏎-Taste und wählen den passenden Eintrag aus der Ergebnisliste aus. Das lange Suchen in Startmenü oder Systemsteuerung ist vorbei.

Auch zur Suche im Internet lässt sich das Startmenü nutzen. Geben Sie einfach den Suchbegriff ein und wählen Sie den Eintrag **Internet durchsuchen** aus.

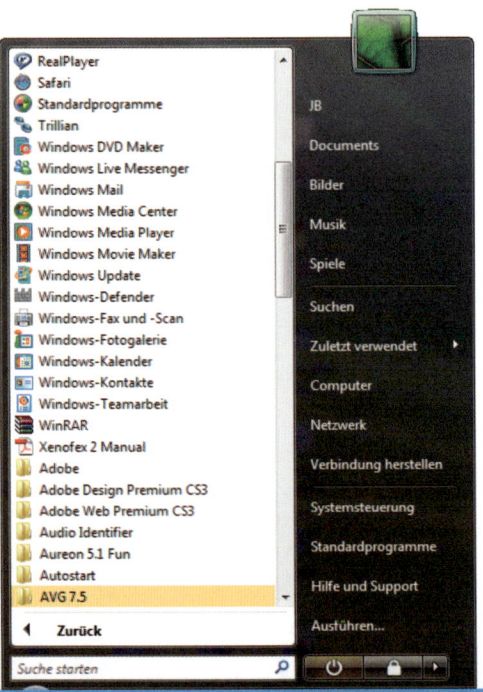

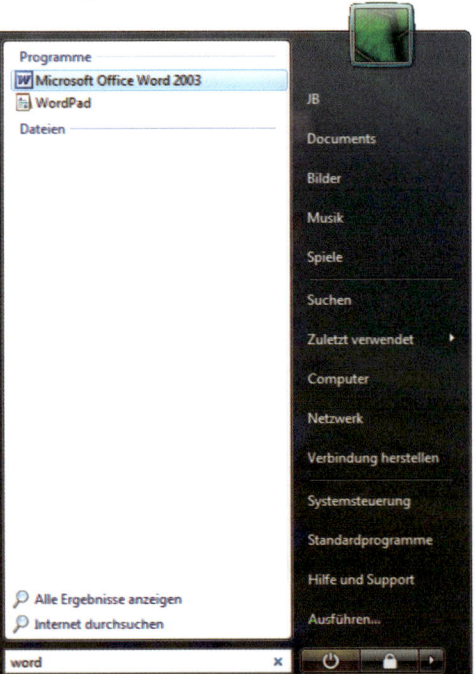

Verknüpfungen sind ja recht cool und praktisch, hat man aber zu viele davon auf dem Desktop, wird der schnell unübersichtlich. Ein Mittel, dem zu entgehen, kennen Sie bereits: Die Docks. Ein weiteres besteht im Anlegen einer zusätzlichen Symbolleiste auf dem Desktop.

1. Klicken Sie mit rechts auf eine freie Stelle am Desktop und wählen Sie **Neu/Ordner**.

2. Geben Sie dem Ordner einen aussagekräftigen Namen, den späteren Namen der Symbolleiste, und bestätigen Sie mit ⏎.

3. Ziehen Sie den neuen Ordner mit gedrückter linker Maustaste an den oberen linken oder rechten Bildschirmrand und lassen Sie die Maustaste los.

   Aus dem Ordner wird eine Symbolleiste.

4. Ziehen Sie die gewünschten Verknüpfungen auf die neue Leiste, sie werden dort direkt erstellt.

5. Um die Symbolleiste zu entfernen, klicken Sie mit rechts darauf und wählen im Kontextmenü **Symbolleiste schließen**.

Tipp

Im gleichen Menü lässt sich übrigens unter dem Punkt **Ansicht** die Größe der Verknüpfungssymbole festlegen.

Microsoft stellt Ihnen eine Reihe gestalterischer Elemente zur Verfügung. So können Sie den Mauszeiger und die Systemsounds dem eigenen Geschmack anpassen.

1. Klicken Sie mit der rechten Maustaste auf einen freien Desktopbereich und wählen Sie **Anpassen** aus dem Menü.

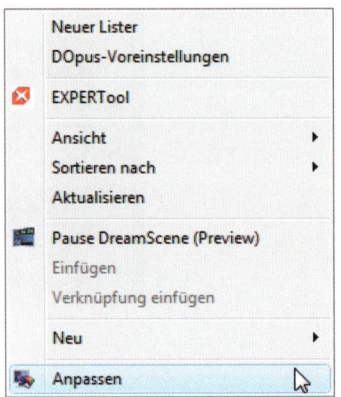

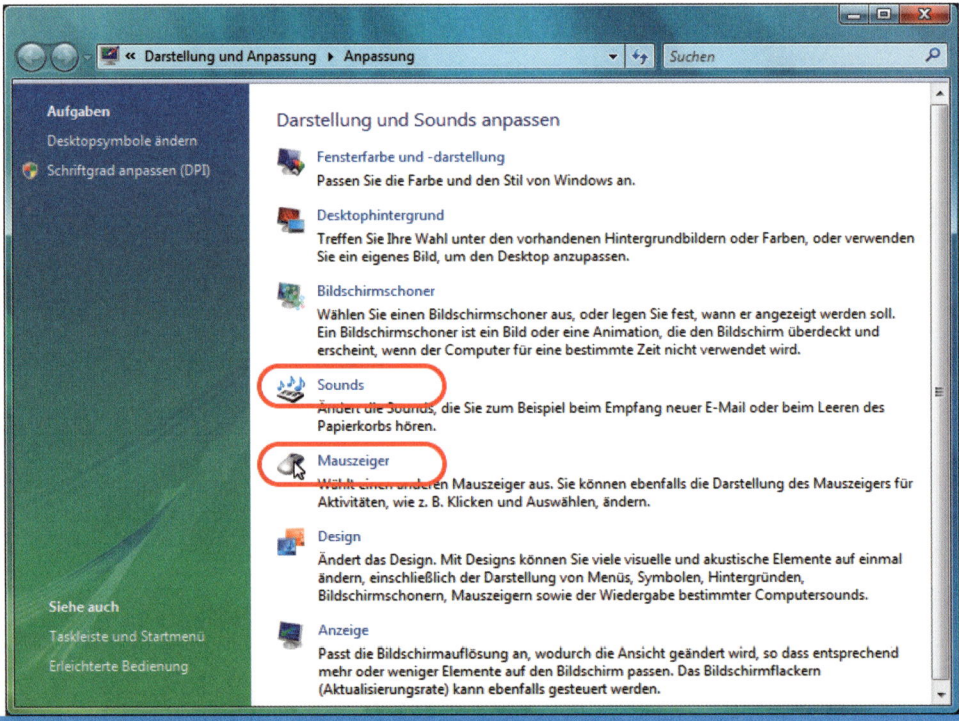

Im Dialog **Anpassung** befinden sich die Einträge **Sounds** und **Mauszeiger**.

Windows-Ereignissen können Systemklänge zugeordnet werden, die wiederum als Schema zusammengefasst und gespeichert werden können.

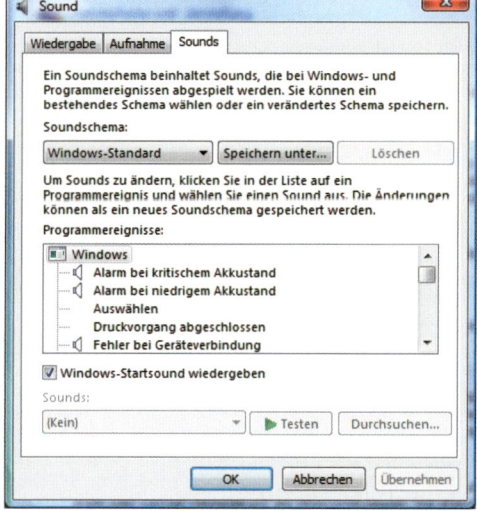

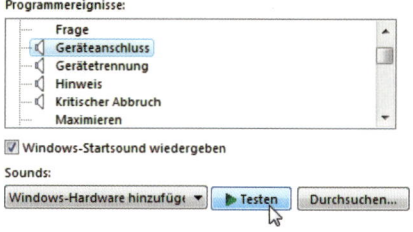

3. Klicken Sie auf **Durchsuchen**, um eigene Sounddateien aus Ihren Ordnern zu laden.

   Im Register **Zeiger** des Fensters **Eigenschaften von Maus** steht Ihnen eine Reihe von Schemata mit den Ansichten des Mauszeigers in den jeweiligen Aktivitätszuständen zur Verfügung.

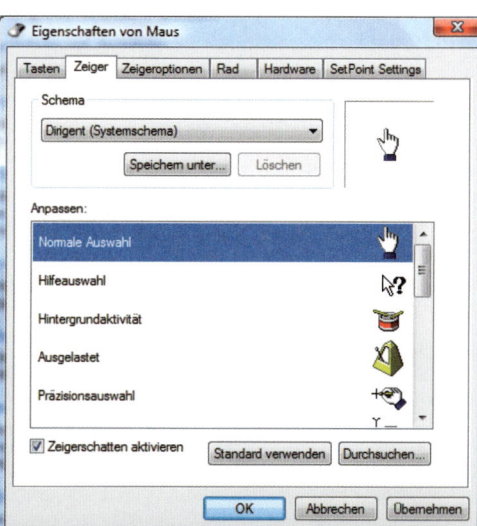

2. Probieren Sie mit der Schaltfläche **Testen** den jeweiligen Klang aus und tauschen Sie ihn nach Belieben aus.

Standardmäßig sind die Desktopsymbole bei Vista größer als beim Vorgänger XP. Das gefällt vielleicht dem einen oder anderen, aber warum Platz verschenken? Folgendermaßen lässt sich das ändern.

Zwei Varianten führen hier zum Ziel:

1. Klicken Sie mit rechts auf einen freien Bereich des Desktops.

2. Im Untermenü **Ansicht** können Sie zwischen drei Symbolgrößen wählen.

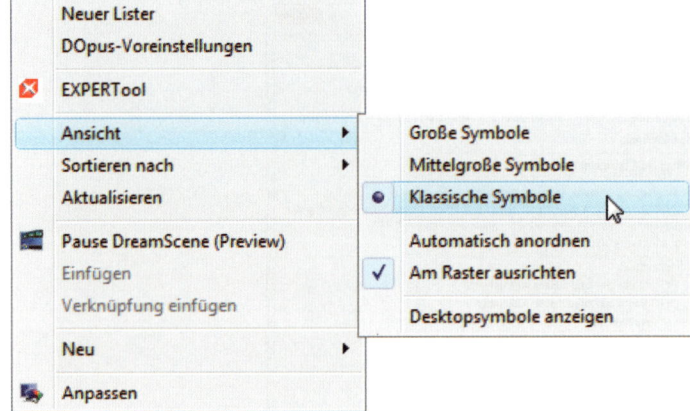

Die zweite Variante ist wesentlich eleganter:

1. Markieren Sie ein beliebiges Desktopsymbol.

2. Halten Sie ⌈Strg⌉ gedrückt und passen Sie mit dem Mausrad die Größe der Symbole stufenlos an.

Tipp

Wird die Auflösung höher gestellt, werden auch die Symbole proportional kleiner.

Die Möglichkeiten hierbei reichen von ziemlich klein ...   ... bis megagroß.

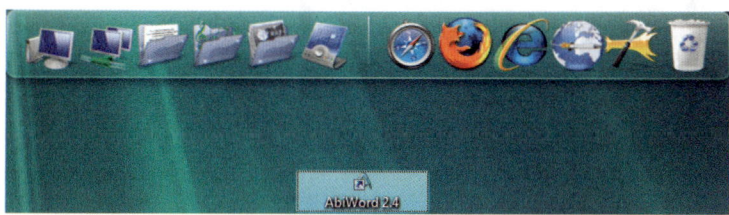

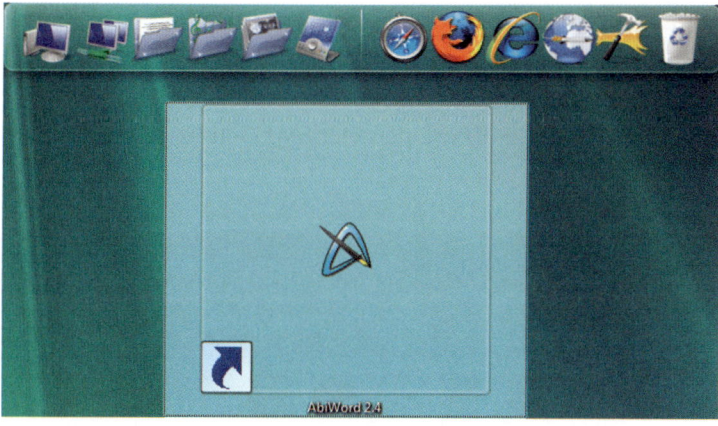

Bei der klassischen Ansicht (oder kleiner) wird durch den großen Abstand der Desktopsymbole viel Platz verschenkt. Ändern Sie es einfach.

1. Klicken Sie mit rechts auf den Desktop und wählen Sie **Anpassen** aus dem Menü.

2. Klicken Sie auf **Fensterfarbe und -darstellung**.

3. Wählen Sie den Eintrag **Eigenschaften für klassische Darstellung ...**

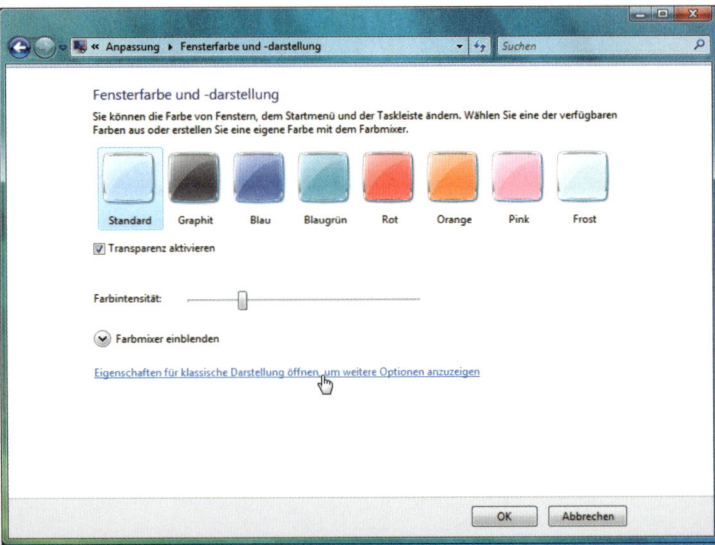

4. Betätigen Sie die Schaltfläche **Erweitert**.

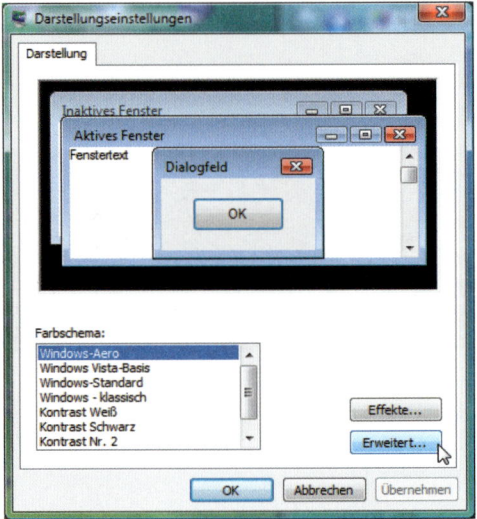

5. Wählen Sie **Symbolabstand (Horizontal)** aus dem Dropdown-Menü **Element**.

6. Geben Sie unter **Größe 40** an (das entspricht etwa den Einstellungen bei Windows XP).

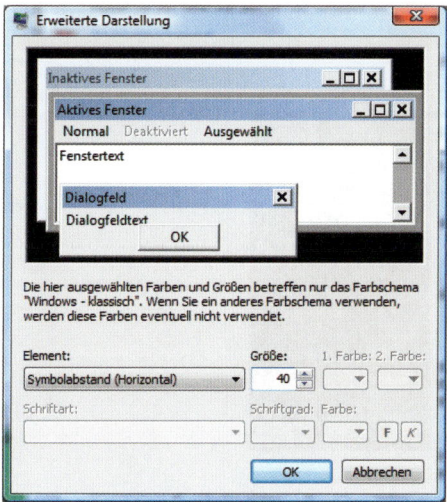

7. Weisen Sie unter **Element Symbolabstand (Vertikal)** ebenfalls die **Größe 40** zu.

8. Schließen Sie die Dialogfenster **Erweiterte Darstellung** und **Darstellungseinstellungen** jeweils mit **OK**.

Die Programmsymbole im Startmenü sehen schön aus und sind noch dazu schön groß. Kein Problem, wenn Sie Riesensymbole mögen. Allerdings beschränkt das die Anzahl der sichtbaren, zuletzt ausgeführten Programme erheblich.

2. Betätigen Sie im Register **Startmenü** die Schaltfläche **Anpassen**.

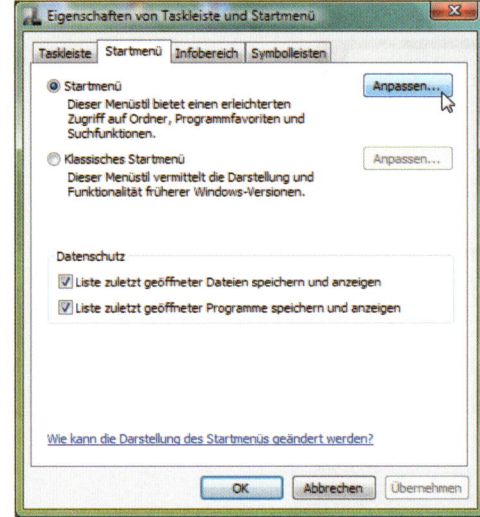

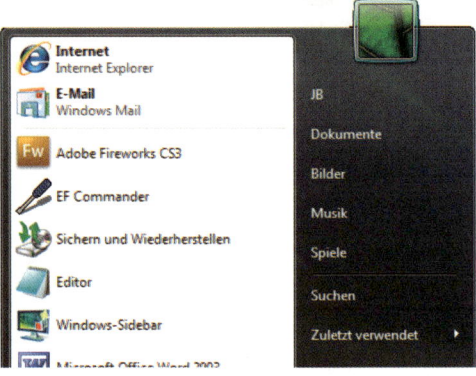

1. Klicken Sie mit rechts auf die **Start**-Schaltfläche (Vista-Button) und wählen Sie **Eigenschaften**.

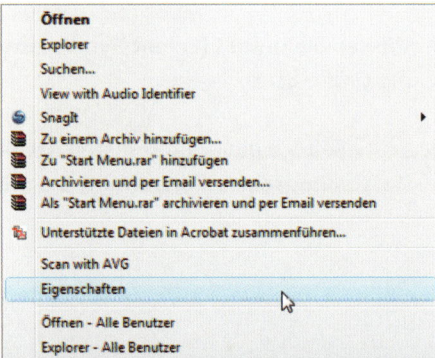

3. Entfernen Sie das Häkchen vor **Große Symbole verwenden**.

4. Bestätigen Sie mit **OK** und schließen Sie auch das Fenster **Eigenschaften von Taskleiste und Startmenü** per Klick auf die **OK**-Schaltfläche.

Tipp

Hinter **Anzahl der zuletzt ausgeführten Programme** können Sie nun getrost einen Wert zwischen 15 und 20 auswählen. Wie Sie im nachfolgenden Bild erkennen, ist nun Platz genug.

62 Flip 3D per Desktopsymbol starten

Unter gewissen Umständen (beispielsweise Arm in Gips, Sehnenscheidenentzündung, sonstige Einschränkungen) kann es recht praktisch sein, Flip 3D über den Desktop zu starten. Auch wenn man es bisher nie gebraucht hat, genau in einem solchen Moment ist das Flip 3D-Symbol (**Zwischen Fenstern umschalten**) mit etwas Pech aus der Schnellstartleiste verschwunden. Wir zeigen Ihnen, wie Sie es und seine Funktion zurückbekommen.

1. Klicken Sie mit rechts auf einen freien Desktopbereich und wählen Sie **Neu/Verknüpfung**.

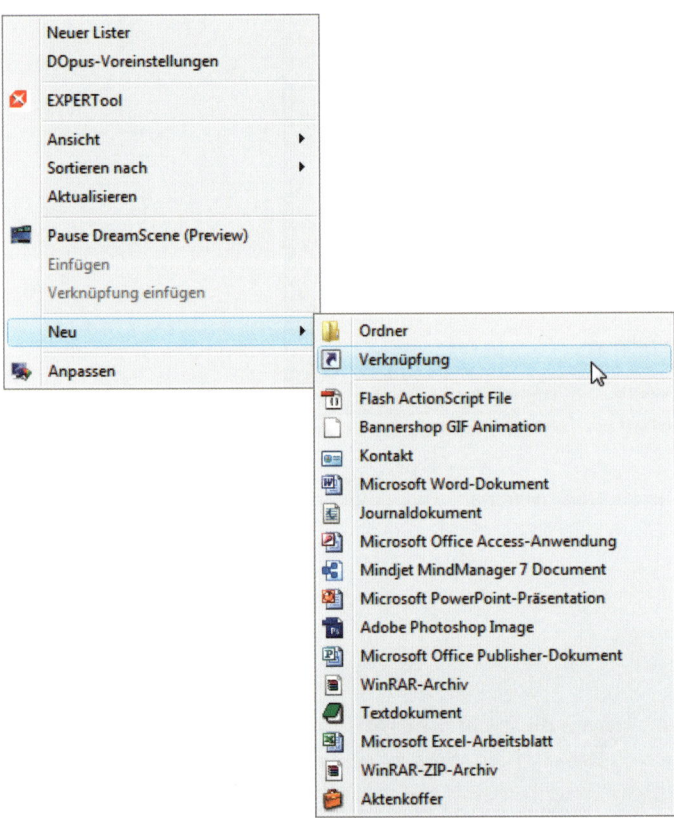

2. Tippen Sie im Dialog **Verknüpfung erstellen** in das Feld **Geben Sie den Speicherort des Elements ein** den Parameter **rundll32 dwmapi #105** ein und klicken Sie auf **Weiter**.

3. Tragen Sie **Flip3D** als Name der Verknüpfung ein und schließen Sie den Dialog mit **Fertig stellen**.

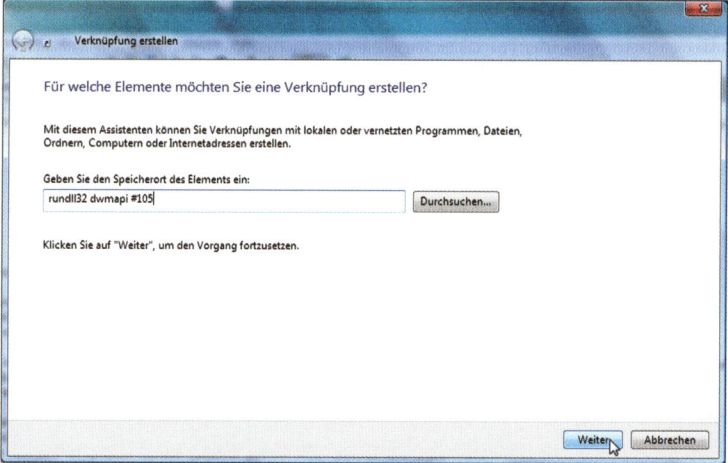

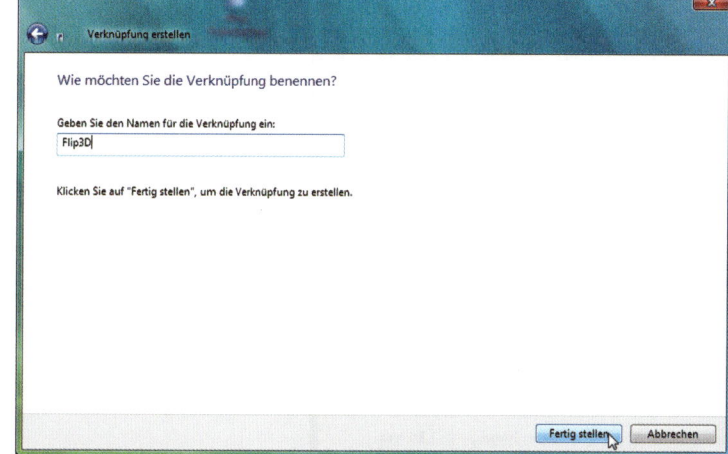

4. Probieren Sie es gleich aus.

Jetzt braucht Ihr Symbol nur noch ein ansprechendes Aussehen.

5. Klicken Sie mit der rechten Maustaste darauf, wählen Sie **Eigenschaften** und klicken Sie im Register **Verknüpfung** auf **Anderes Symbol**.

6. Klicken Sie im nachfolgenden Dialog auf **Durchsuchen**, hangeln Sie sich zum Windows-Verzeichnis durch, markieren Sie dort die Datei **explorer.exe** und klicken Sie dann auf **Öffnen**.

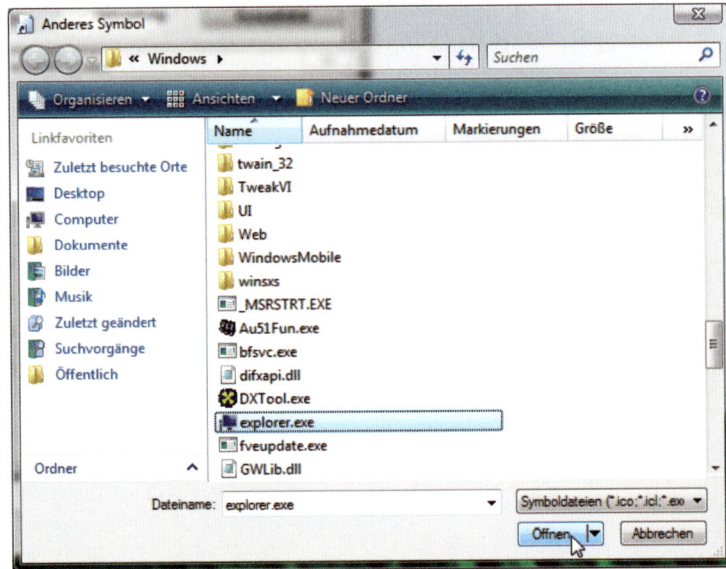

7. Markieren Sie das fünfte Symbol in der dritten Zeile und betätigen Sie **OK.**

So sieht das Symbol richtig schick aus.

8. Ziehen Sie es mit der Maus an seinen angestammten Platz in der Schnellstartleiste. Natürlich können Sie es auch auf dem Desktop belassen.

Im folgenden Abschnitt zeigen wir Ihnen, wie man Sprechblasen-benachrichtigungen – auch Balloon Tips oder Ballon-Tipps genannt – unter Windows Vista deaktivieren kann. Persönlich halten wir diese Sprechblasen für eines der unsinnigsten Features überhaupt, sie sehen nicht sonderlich hübsch aus, tauchen meist zum falschen Zeitpunkt auf und zeigen selten Informationen, die wirklich wichtig sind.

Das dafür nötige Verfahren ist abhängig von Ihrer Vista-Version. Für Home Basic und Home Premium läuft es folgendermaßen ab:

1. Klicken Sie auf ⊞+R, um das **Ausführen**-Fenster einzublenden.

2. Geben Sie **regedit** ein und bestätigen Sie mit ⏎.

   Der Registrierungs-Editor erscheint.

3. Klicken Sie sich zum Ordner **HKEY_CURRENT_USER\Software\ Microsoft\Windows\CurrentVersion\Explorer\Advanced** durch.

4. Klicken Sie mit rechts in den rechten Fensterbereich und wählen Sie **Neu/DWORD-Wert (32-Bit)** aus.

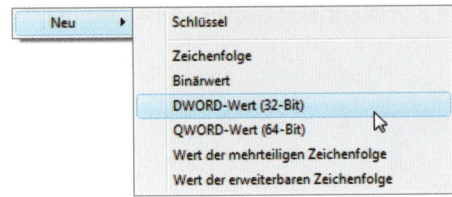

5. Geben Sie **EnableBalloonTips** als Namen für den **DWORD-Wert** ein und drücken Sie ⏎.

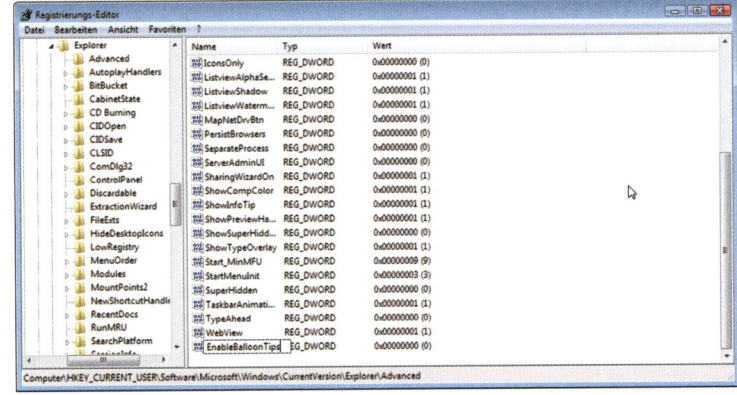

6. Doppelklicken Sie auf den neuen Eintrag und überprüfen Sie, ob dessen **Wert 0** ist.

7. Starten Sie Vista neu.

Besitzer einer Ultimate-, Enterprise- oder Business-Version haben es da einfacher:

1. Klicken Sie auf ⊞+R, um das **Ausführen**-Fenster einzublenden.

2. Geben Sie **gpedit.msc** ein und drücken Sie ⏎.

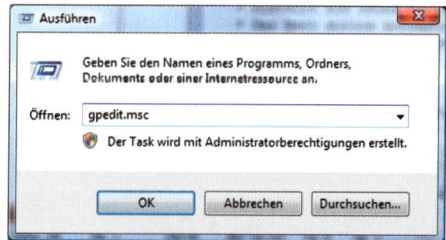

Navigieren Sie im **Gruppenrichtlinienobjekt-Editor** unter **Benutzerkonfiguration** zum Ordner **Administrative Vorlagen/Startmenü und Taskleiste**.

Wählen Sie unten das Register **Standard**, klicken Sie mit rechts auf **Alle Sprechblasenbenachrichtigungen deaktivieren** und wählen Sie **Eigenschaften** aus.

Öffnen Sie im auftauchenden Fenster das Register **Einstellung** und markieren sie die Checkbox vor **Aktiviert**. Verlassen Sie das Fenster mit **OK**.

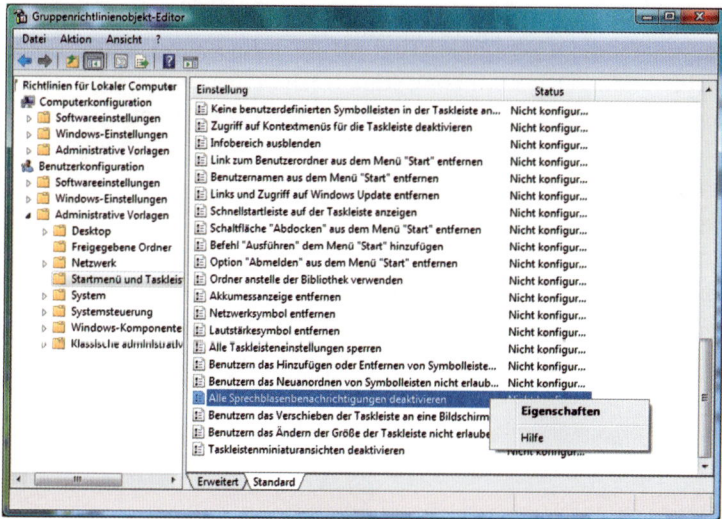

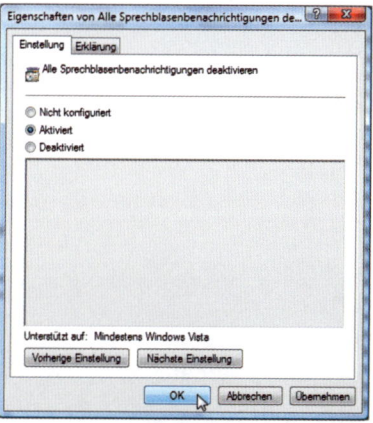

Die Ballon-Tipps in Windows Vista sehen aus wie bei Windows XP. Während das Design in Windows XP unter diesen Ballon-Tipps nicht sonderlich gelitten hat, stören sie in Windows Vista und dessen veränderter Optik unserer Meinung nach erheblich. Eine Betaversion von Windows Vista beinhaltete für kurze Zeit besser angepasste, transparente Ballon-Tipps, die aber aus der Verkaufsversion wieder entfernt worden sind. Die Gründe zu diesem Schritt dürften allein Microsoft bekannt sein. Wenn Sie also die Sprechblasen gerne behalten wollen, haben wir eine nützliche Freeware für Sie, die die transparenten Ballon-Tipps unter Windows Vista erneut zugänglich macht.

1. Laden Sie sich Glass Toast unter ***http://mpj.tomaatnet.nl/glasstoast.zip*** herunter und entpacken Sie es in ein beliebiges Verzeichnis.

2. Starten Sie das Programm per Doppelklick auf die Datei **glasstoast.exe**.

Die Sprechblasen erhalten ein Vista-gerechtes Äußeres.

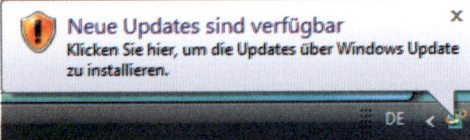

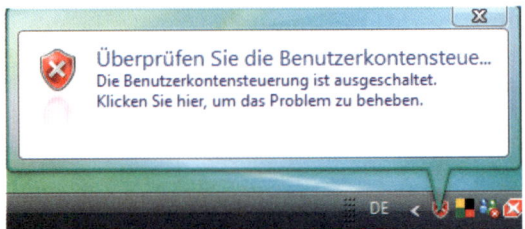

Tipp

Die Software muss nicht einmal installiert und kann von jedem Ort auf der Festplatte ausgeführt werden.

3. Doppelklicken Sie erneut auf die **glasstoast.exe**, um das Programm per Klick auf **Stop** zu beenden oder um über das Dropdown-Menü **Skin** das Erscheinungsbild der Blasen zu verändern.

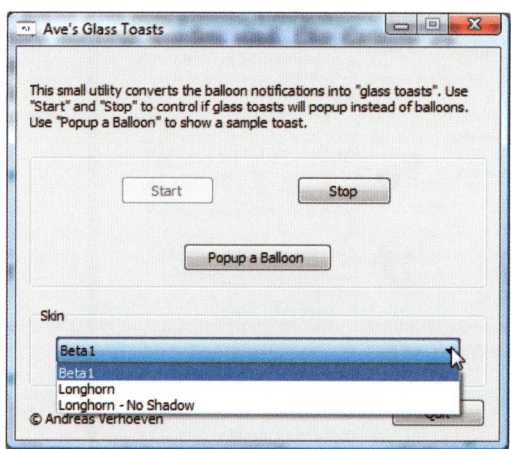

Tipp

Die Sprechblasen sehen nun um einiges schöner aus und passen besser zum Design von Windows Vista. Die Funktionsweise ist schnell erklärt: Glass Toast fängt alle Ballon-Tipps ab und tauscht sie durch eine transparente Version mit dem gleichen Funktionsumfang aus. Das bedeutet, dass Sie nach wie vor auf Links in den Ballon-Tipps klicken können.

65 Fenster beim Darüberfahren mit der Maus wechseln

Mausgesten in Vista? Ja, es ist nun möglich, über die System-steuerung eine Mauseinstellung vorzunehmen, die früher müh-sam über die Registrierung eingestellt werden musste. Diese Einstellung soll das Arbeiten mit der Maus erleichtern, indem man geöffnete Fenster einfach durch Überfahren mit der Maus wechseln kann. Sie brauchen sie also nicht mehr anzuklicken, was die Arbeit durchaus erleichtern kann. Allerdings ist die Sache anfangs recht gewöhnungsbedürftig.

1. Klicken Sie auf **Start/Systemsteuerung**.

2. Anschließend klicken Sie auf **Erleichterte Bedienung**.

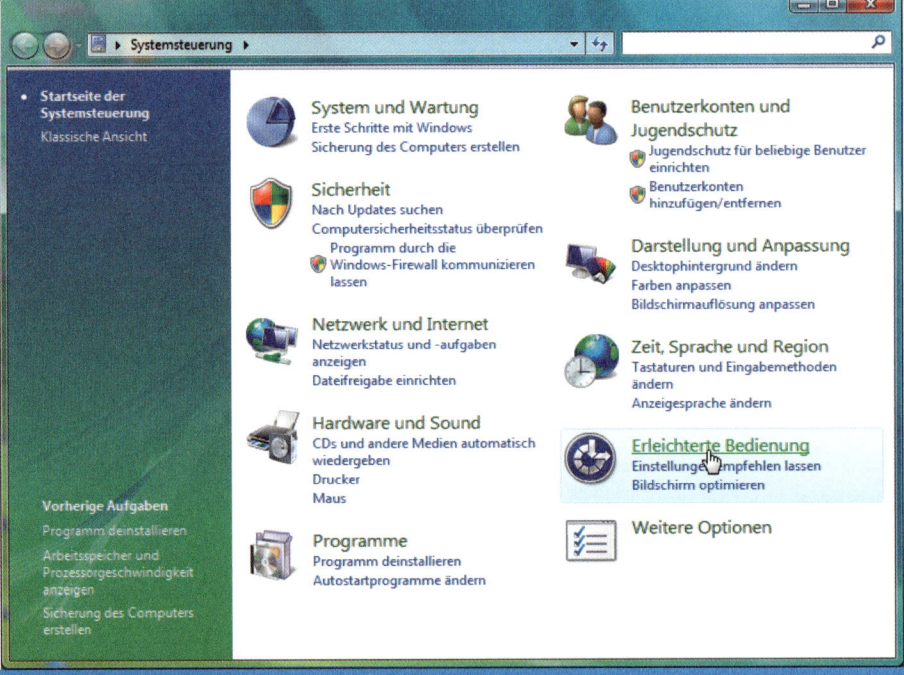

3. Wählen Sie im Bereich **Center für die erleichterte Bedienung** den Eintrag **Funktionsweise der Maus ändern** aus.

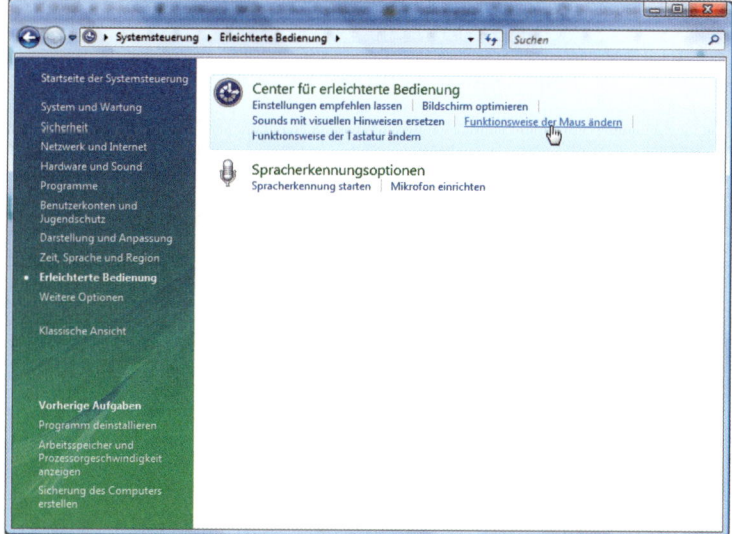

4. Setzen Sie unter **Wechseln zwischen Fenstern erleichtern** ein Häkchen vor **Ein Fenster durch Hovering mit der Maus aktivieren**.

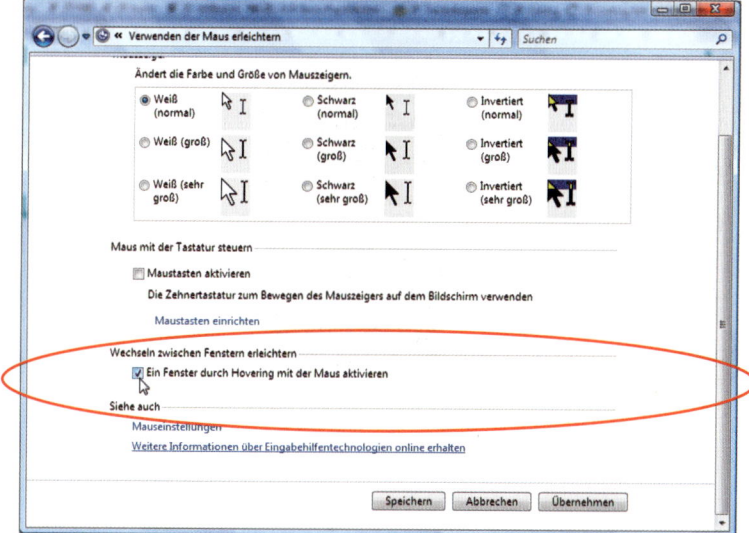

5. Klicken Sie auf **Speichern**, um Ihre Einstellung zu übernehmen und das Fenster zu schließen.

Anfangs mögen Tooltips ja recht nützlich sein. Sobald man mit der Maus über ein Programmsymbol im Startmenü fährt, wird ein Kommentar eingeblendet, der kurz die Funktion der jeweiligen Software beschreibt. Auf Dauer oder beispielsweise bei Screenshots können die Dinger aber ganz schön nerven. Wir zeigen Ihnen, wie man sie loswird.

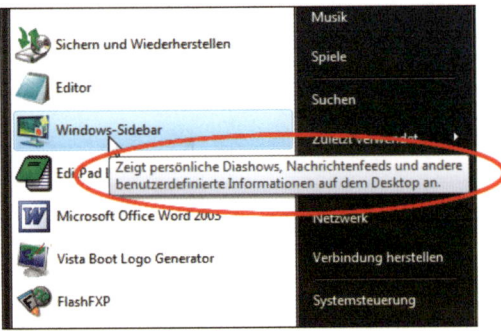

1. Klicken Sie auf ⊞+R, um das **Ausführen**-Fenster einzublenden.

2. Geben Sie **regedit** ein und drücken Sie ↵.

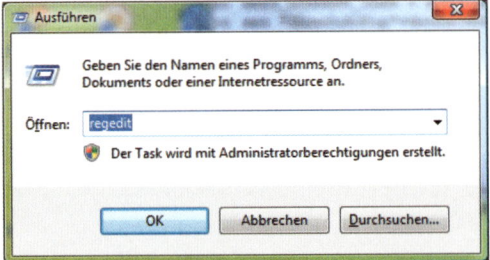

3. Klicken Sie sich im **Registrierungs-Editor** zum Ordner **HKEY_CURRENT_USER\Software\Microsoft\Windows\CurrentVersion\Explorer\Advanced** durch.

4. Doppelklicken Sie im rechten Fensterbereich auf den Eintrag **ShowInfoTip**.

5. Ändern Sie dessen Wert in **o** und bestätigen Sie mit **OK**.

6. Schließen Sie den Registrierungs-Editor und booten Sie Vista neu.

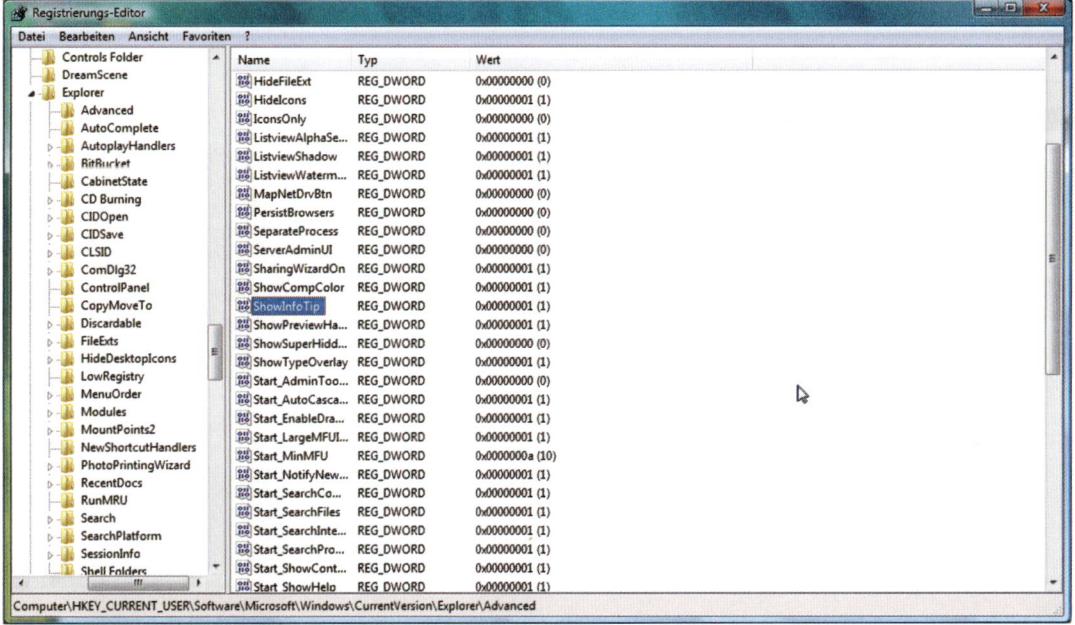

Startmenü-Schalter auf „Herunterfahren" setzen

Die Standardeinstellung des Schalters im Startmenü ist **Energie sparen**. Was beim PC daheim noch Sinn macht, ist beim Notebook, wo man ohnehin ständig auf effizientes Ausnutzen der knappen Energiereserven bedacht ist, eigentlich überflüssig. Sorgen Sie doch dafür, dass das Notebook beim Betätigen des Schalters herunterfährt – und so geht's:

1. Klicken Sie auf **Start/Systemsteuerung** und im auftauchenden Fenster auf **System und Wartung**.

2. Klicken Sie unter **Energieoptionen** auf **Energiesparmodus ändern**.

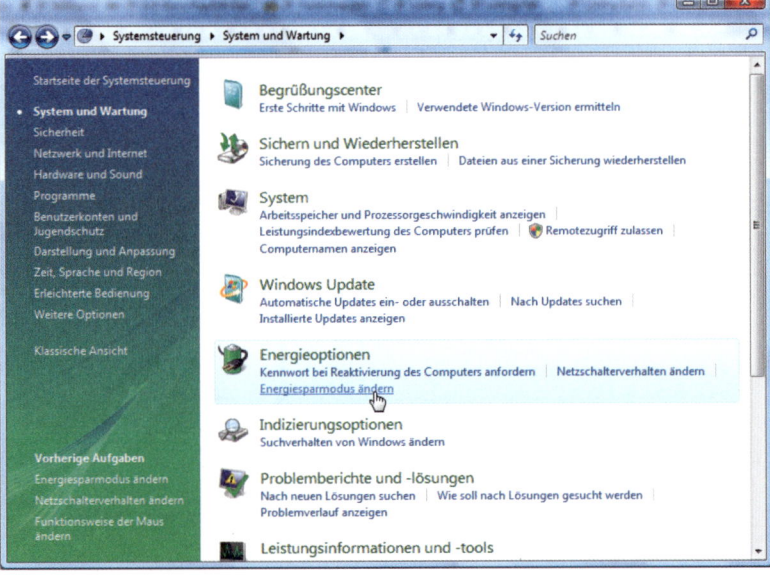

3. Wählen Sie **Erweiterte Energieeinstellungen ändern** aus.

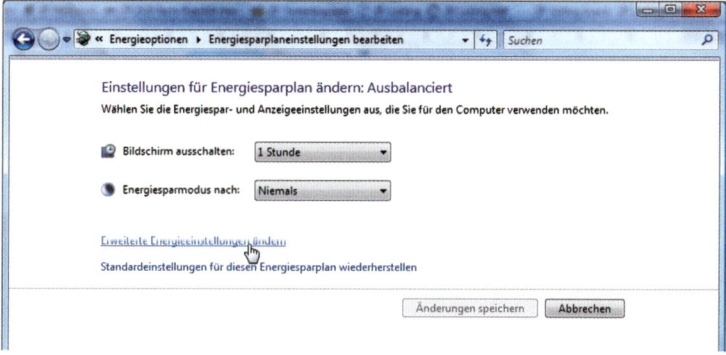

4. Markieren Sie im Dropdown-Menü den Modus, für den Sie die Einstellung ändern möchten.

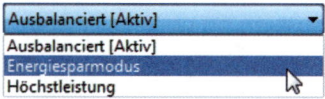

5. Klicken Sie auf das **+** vor **Netzschalter und Laptopdeckel** und öffnen Sie mit dem **+** vor **Netzschalter und Startmenü** den Unterzweig **Einstellung**.

6. Per Klick auf den blauen Eintrag hinter **Einstellung** öffnen Sie ein Dropdown-Menü.

7. Markieren Sie dort **Herunterfahren** und schließen Sie das Fenster mit **OK**.

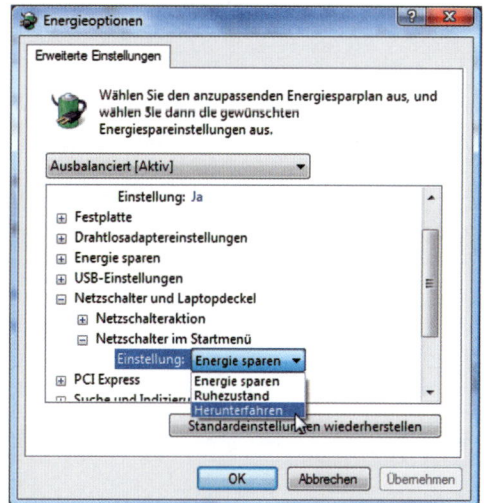

Der Schalter hat sich verändert.

Wartung und Tuning

Die Verbesserung der Leistung und Bedienung Ihres Notebooks steht im Vordergrund dieses Abschnitts. Wir zeigen Ihnen, wie Sie längst verloren geglaubte Dateien zurückbekommen, die Systemdateien überprüfen, Suchfunktionen, Festplatten und Kopiervorgänge beschleunigen können. Wir erklären, was es mit ReadyBoost auf sich hat, wie Windows-Funktionen ein- und ausgeschaltet werden und wie die Zuverlässigkeit Ihres Systems überwacht wird. Es geht um Erweiterungen des Mausmenüs, die Menüleiste des Internet Explorers und noch einige andere Dinge.

Der Dialog Ausführen hilft u. a. beim schnellen Aufrufen bestimmter Windows-Funktionen wie etwa des Registrierungs-Editors oder der Firewall-Konfiguration. Normalerweise startet man ihn über Start/Alle Programme/Zubehör/Ausführen. Praktischer ist es, ihn gleich vom Startmenü aus verfügbar zu machen.

1. Klicken Sie mit der rechten Maustaste auf die Taskleiste und wählen Sie **Eigenschaften** aus dem Menü.

2. Öffnen Sie im auftauchenden Fenster das Register **Startmenü**.

3. Klicken Sie auf die Schaltfläche **Anpassen**.

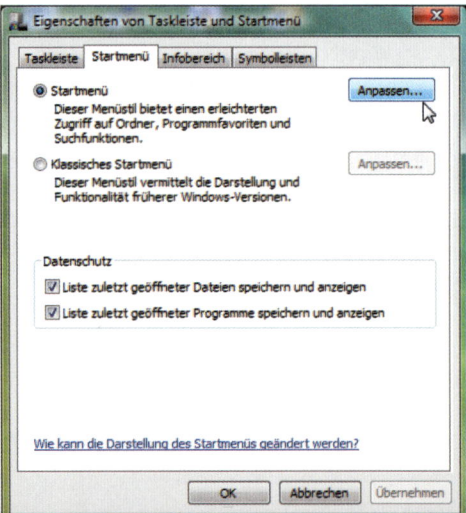

4. Setzen Sie im Dialog **Startmenü anpassen** ein Häkchen vor **Befehl „Ausführen"**.

5. Schließen Sie die Dialoge **Startmenü anpassen** sowie **Eigenschaften von Taskleiste und Startmenü** per Klick auf **OK**.

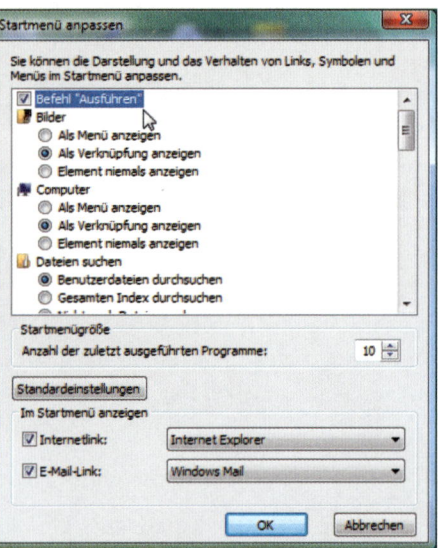

Tipp

Noch schneller erreichen Sie den Dialog **Ausführen** über die Tastenkombination ⊞+R.

Früher oder später werden Sie feststellen, dass das Startmenü von Vista langsamer wird – sprich träger reagiert. Ursache dafür ist die Eigenschaft von Vista, sich alle Dateien, die in letzter Zeit geöffnet waren, zu „merken". Je mehr Dateien es also gibt, desto langsamer wird die Sache. Sofern Sie aber diese Liste der zuletzt geöffneten Dateien nicht ständig benötigen, können Sie sie abschalten.

1. Klicken Sie mit der rechten Maustaste auf die Taskleiste und wählen Sie **Eigenschaften** aus dem Menü.

2. Öffnen Sie im folgenden Fenster das Register **Start-menü**.

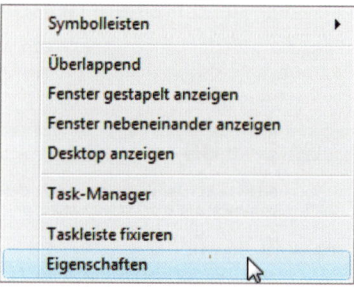

3. Entfernen Sie das Häkchen vor **Liste zuletzt geöffneter Dateien speichern und anzeigen**.

4. Bestätigen Sie die Änderung mit **OK**.

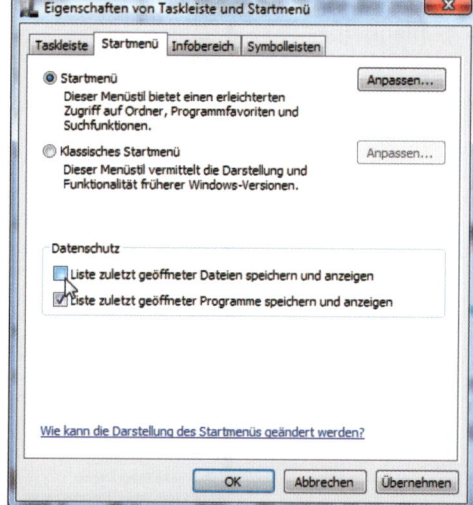

Systemdateien-Check

Sollten Sie mit unerklärlichen Problemen zu kämpfen haben und meilenweit von einer Lösung entfernt sein, können Sie die Systemdateien überprüfen lassen, um so eventuell herauszufinden, ob diese beispielsweise durch die Installation von Programmen verändert wurden.

1. Melden Sie sich als Administrator an.

2. Betätigen Sie **Start/Ausführen**, um den Dialog **Ausführen** einzublenden.

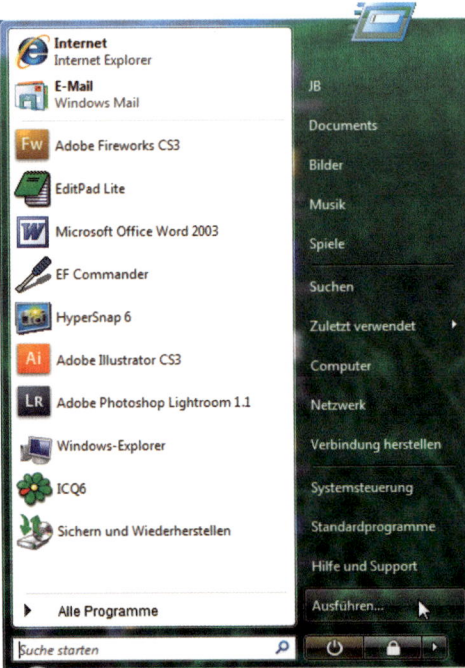

3. Legen Sie die Vista-DVD ins Laufwerk.

4. Geben Sie den Befehl **sfc /scannow** ein und bestätigen Sie mit ⏎.

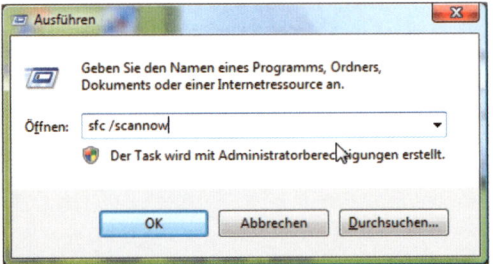

Die Systemdateien werden nun mit denen der Original-DVD abgeglichen und können bei Bedarf wiederhergestellt werden.

Obgleich sich dieser Tipp vorrangig für Desktop-PCs eignet, funktioniert er beim Notebook ebenso hervorragend. Aber aufgepasst, es besteht die Gefahr von Datenverlusten, wenn nicht eine ständige Stromzufuhr zum System gewährleistet wird.

1. Klicken Sie auf **Start/Systemsteuerung** und dann auf **Hardware und Sound**.

2. Klicken Sie auf **Geräte-Manager**.

3. Öffnen Sie mit dem **+**-Symbol vor **Laufwerke** den Zweig des Baummenüs.

4. Klicken Sie mit rechts auf den Eintrag Ihrer Festplatte und wählen Sie **Eigenschaften**.

5. Öffnen Sie das Register **Richtlinien** und setzen Sie im Bereich **Für Leistung optimieren** Häkchen vor **Schreibcache auf dem Datenträger aktivieren** und **Erhöhte Leistung aktivieren**. Bestätigen Sie die Änderung mit **OK**.

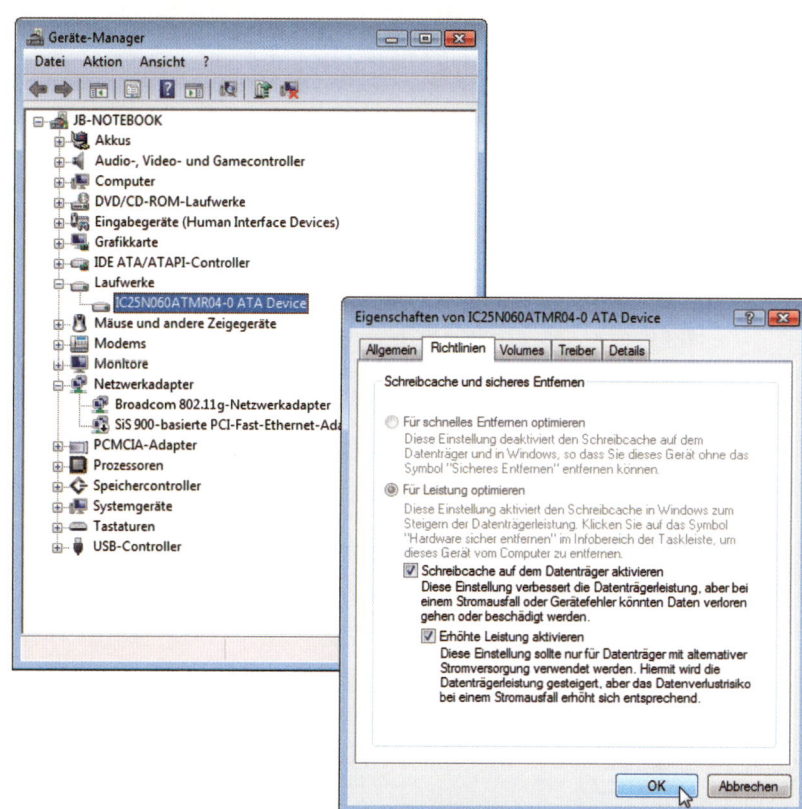

Tipp

Bitte unbedingt die Hinweistexte bei beiden Optionen lesen.

Mit einer kleinen Änderung in der Registrierung können Sie bequem vom Kontextmenü aus Dateien und ganze Ordner kopieren und verschieben.

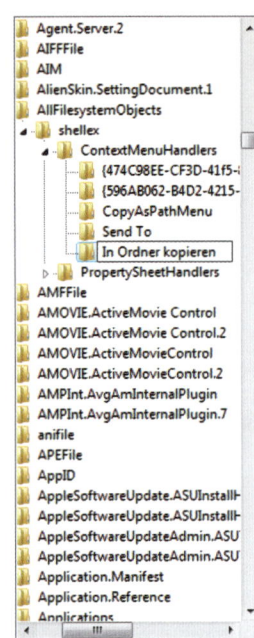

1. Betätigen Sie ⊞+R, geben Sie **regedit** im Dialog **Ausführen** ein und bestätigen Sie mit ↵.

2. Im **Registrierungs-Editor** navigieren Sie zum Schlüssel **HKEY_CLASSES_ROOT\AllFilesystemObjects\shellex\ ContextMenuHandlers**.

3. Führen Sie dort einen Rechtsklick aus und wählen Sie im Menü **Neu/Schlüssel**.

4. Erstellen Sie einen neuen Unterschlüssel mit dem Namen **In Ordner kopieren**.

5. Doppelklicken Sie auf den Eintrag **Standard-Wert** des soeben erstellten Schlüssels, weisen Sie ihm den Wert **{C2FBB630-2971-11D1-A18C-00C04FD75D13}** zu und bestätigen Sie mit **OK**.

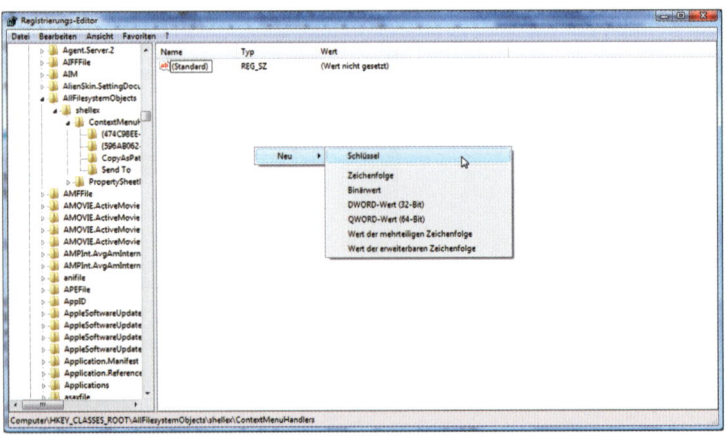

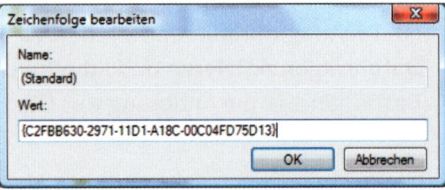

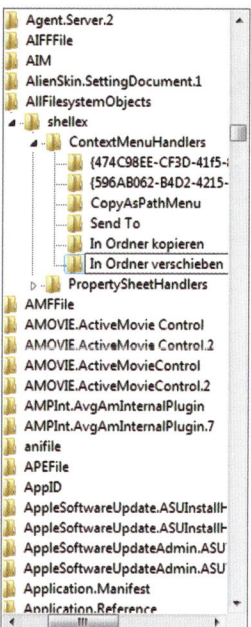

6. Erstellen Sie unter **HKEY_CLASSES_ ROOT\AllFilesystemObjects\shellex\ ContextMenuHandlers** einen weiteren Unterschlüssel mit dem Namen **In Ordner verschieben**.

7. Dessen **Standard-Wert** weisen Sie **{C2FBB631-2971-11D1-A18C-00C04FD75D13}** zu.

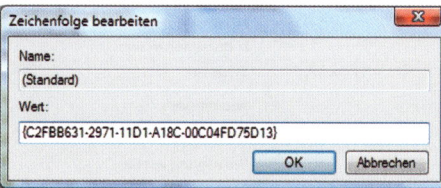

Sobald Sie jetzt einen Ordner oder eine Datei mit der rechten Maustaste anklicken, finden Sie im Kontextmenü die beiden neu erstellten Einträge, mit denen Sie nun ganz bequem eine oder mehrere Dateien bzw. Ordner kopieren und verschieben können.

Tipp

Um die Einträge aus dem Kontextmenü zu entfernen, löschen Sie einfach die eben erstellten Schlüssel.

73 „Senden an"-Einträge hinzufügen

Bei Bedarf können Sie dem Kontextmenü **Senden an** leicht eigene Einträge hinzufügen. Wir zeigen ihnen, wie.

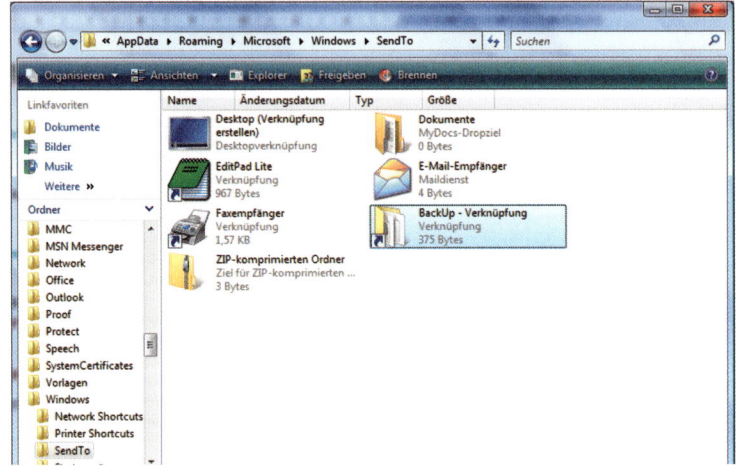

1. Klicken Sie mit rechts auf die gewünschte Datei, Anwendung, den betreffenden Ordner oder das Laufwerk und wählen Sie **Verknüpfung erstellen** aus dem Menü.

2. Öffnen Sie den Ordner **C:\Users\ BENUTZERNAME\ AppData\Roaming\ Microsoft\ Windows\SendTo**.

3. Ziehen Sie die erstellte Verknüpfung einfach in diesen Ordner oder kopieren Sie diese über die Zwischenablage hinein.

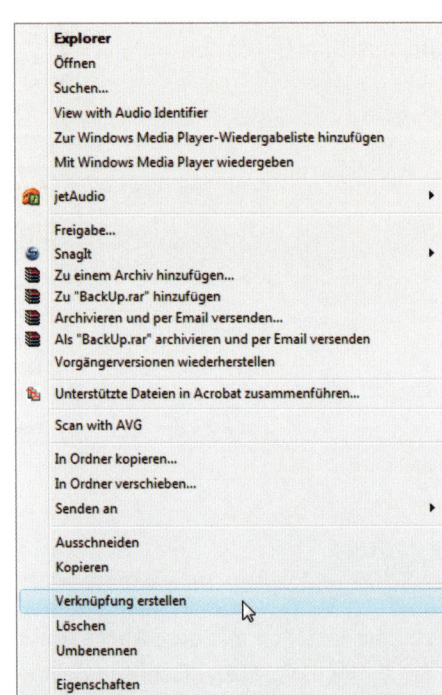

Der neue Eintrag ist sogleich verfügbar.

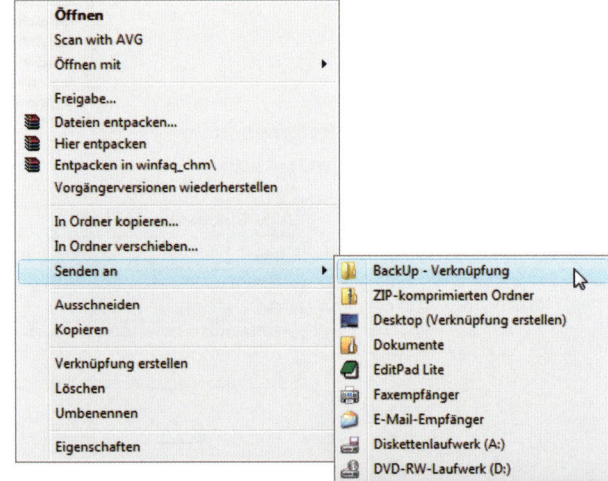

Ist es Ihnen vielleicht schon aufgefallen, dass es in Windows Vista aus irgendeinem Grund länger dauert, große Dateien zu kopieren als in Windows XP? Man sollte doch meinen, dass der Wechsel zu einem neuen Betriebssystem keine Geschwindigkeitsnachteile zur Folge hätte, doch leider scheint Vista, zumindest manchmal, ein Problem zu haben, große Dateien schnell zu kopieren. Dies passiert vor allem beim Kopieren von Daten im Netzwerk, wobei sogar vereinzelte Leitungsunterbrechungen festzustellen sind.

Ursache ist ein neues Feature namens **Auto Tuning**, das standardmäßig in allen Windows Vista-Versionen von Microsoft aktiviert ist. **Auto Tuning** verändert die sogenannte **Receive Windows Size** automatisch, indem es den Netzwerkverkehr überwacht. In vielen Fällen zieht ein Abschalten von Auto Tuning auch noch andere positive Effekte nach sich. So konnten sich Nutzer beispielsweise danach mit dem Windows Live Messenger verbinden, was vorher nicht möglich gewesen war.

Gut, wie schalten Sie **Auto Tuning** also ab?

1. Betätigen Sie ⊞+R, geben Sie **cmd** im Dialog **Ausführen** ein und bestätigen Sie mit ↵.

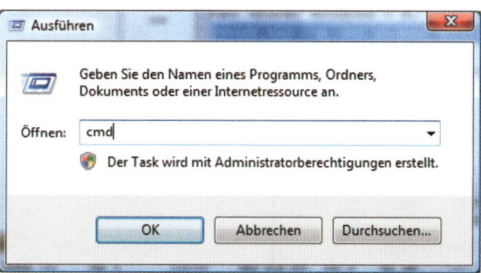

2. Geben Sie im auftauchenden Fenster die folgende Zeile ein: **netsh int tcp set global autotuninglevel=disable**, und drücken Sie ↵.

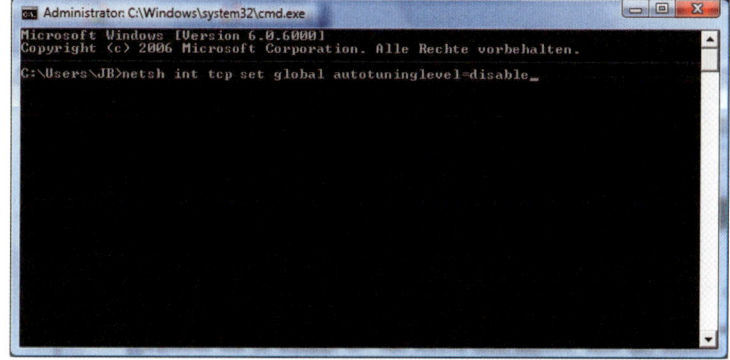

3. Schließen Sie das Fenster.

Tipp

Um **Auto Tuning** wieder zu aktivieren, geben Sie **netsh int tcp set global autotuninglevel=normal** ein.

Nein, wir sind nicht verrückt geworden. Auch für uns sind Bluescreens eine hässliche Sache, die eigentlich niemand gerne sieht. Ja, und weil das so ist, wird Windows von Microsoft so ausgeliefert, dass es diese Bluescreens erst gar nicht anzeigt. Sehr unentspannt, wie wir finden, denn allein deshalb stürzt Windows auch nicht seltener ab, und oft enthält der Bluescreen wichtige Informationen, die bei der Fehlersuche sehr hilfreich sein können. Na, haben wir Sie überzeugt?

Um die Bluescreen-Anzeige beim Systemabsturz zu aktivieren, gehen Sie folgendermaßen vor:

1. Geben Sie **system** in das Suchfeld des Startmenüs ein und klicken Sie auf den gleichnamigen Treffer.

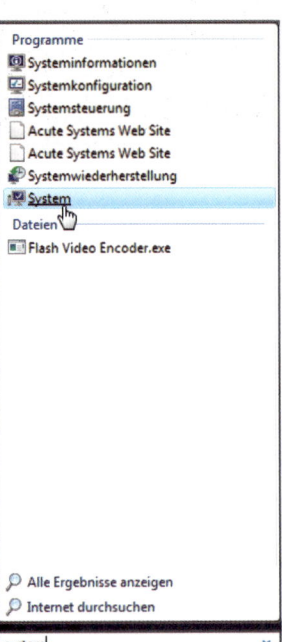

2. Im sich öffnenden Fenster klicken Sie links auf **Erweiterte Systemeinstellungen**.

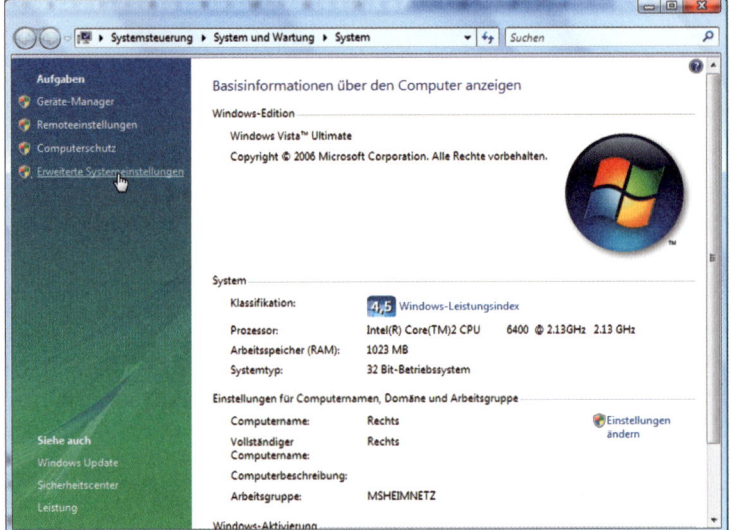

3. Öffnen Sie das Register **Erweitert** und klicken Sie dort im unteren Bereich **Starten und Wiederherstellen** auf die Schaltfläche **Einstellungen**.

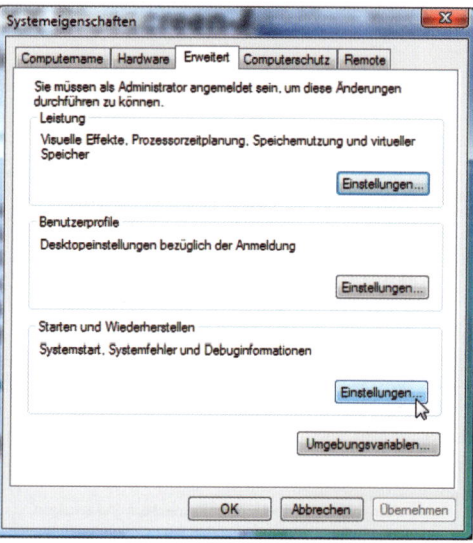

4. Entfernen Sie das Häkchen vor der Option **Automatisch Neustart durchführen**.

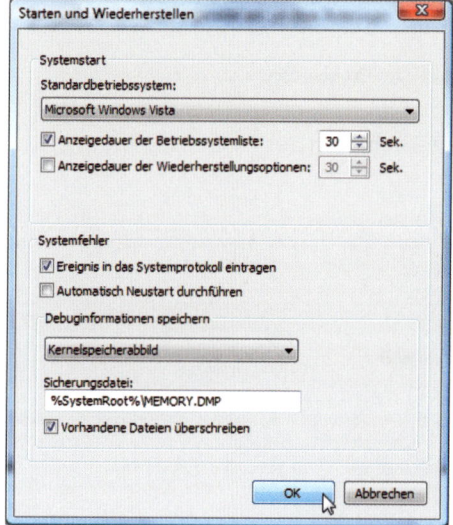

5. Schließen Sie die Fenster **Starten und Wiederherstellen** sowie **Systemeigenschaften** jeweils per Klick auf **OK**.

Tipp

Stürzt Windows in Zukunft ab, wird ein Bluescreen mit der Fehlermeldung angezeigt, die bei der Suche nach der Ursache hilfreich sein kann. Die Einstellungen bezüglich des Speicherabbilds sind in aller Regel nur für Experten interessant.

Die Option **Ereignis in das Systemprotokoll eintragen** sollten Sie aktiviert lassen, um so nach Abstürzen in der Ereignisanzeige nach der Ursache forschen zu können.

Wenn Sie das Suchfeld im Startmenü ausschließlich dazu benutzen, um Programme durch Teileingabe des Namens schneller zu finden, können Sie diese Funktion deutlich beschleunigen.

1. Klicken Sie mit rechts auf die Taskleiste.

2. Wählen Sie im Menü **Eigenschaften** aus.

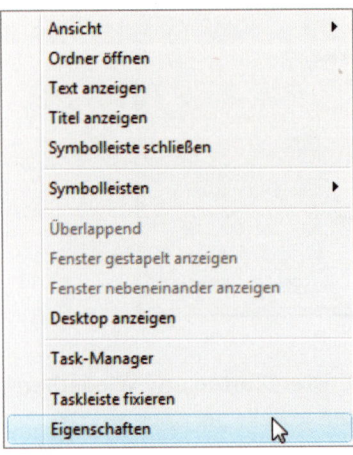

3. Öffnen Sie das Register **Startmenü** und klicken Sie auf **Anpassen**.

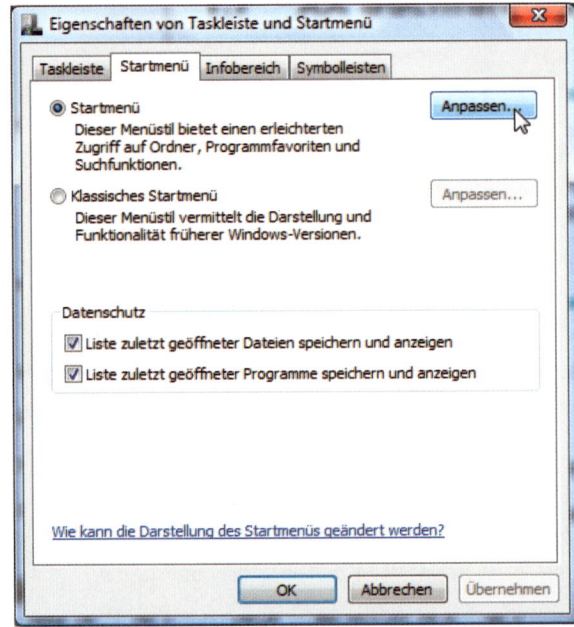

4. Aktivieren Sie im Bereich **Dateien suchen** den Punkt **Nicht nach Dateien suchen**.

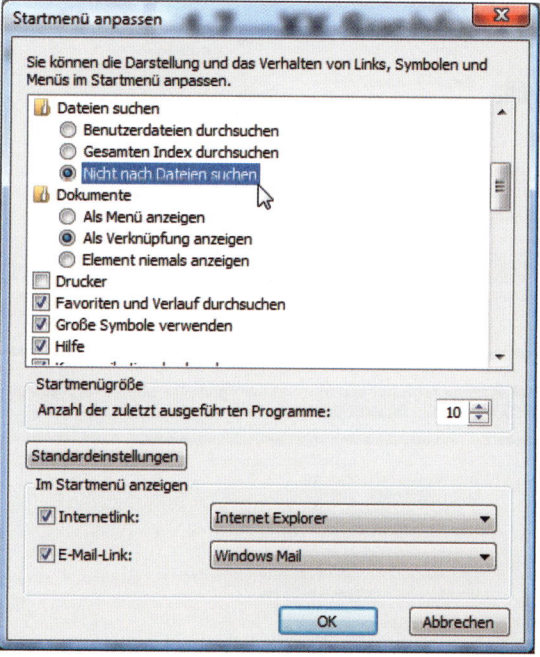

5. Scrollen Sie weiter nach unten und entfernen Sie ebenfalls die Häkchen vor **Favoriten und Verlauf durchsuchen** und **Kommunikation durchsuchen**.

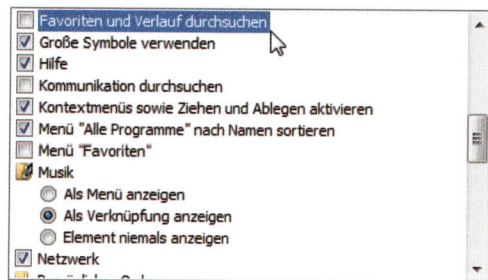

6. Speichern Sie Ihre Änderungen per Klick auf **OK**.

Windows ist geradezu berühmt dafür, dass nicht alle Funktionen gleich eingeschaltet sind. Unter Windows XP musste man Windows-Komponenten hinzufügen oder entfernen. In Vista hingegen werden Windows-Funktionen ein- oder ausgeschaltet. Wurden bei Windows XP die Komponenten installiert bzw. von der Festplatte deinstalliert, bleiben diese unter Vista ständig auf der Festplatte – man schaltet sie nur ein oder aus. Interessant ist das unter anderem für Benutzer, die Telnet mit Vista verwenden möchten. Vista gibt nämlich keine Fehlermeldung aus, dass Telnet ausgeschaltet oder deaktiviert ist, sondern behauptet schlicht, Telnet wäre nicht richtig geschrieben oder würde nicht gefunden.

1. Klicken Sie auf **Start/Systemsteuerung**.

2. Wählen Sie **Programme** aus.

3. Klicken Sie nun auf **Windows-Funktionen ein- oder ausschalten**.

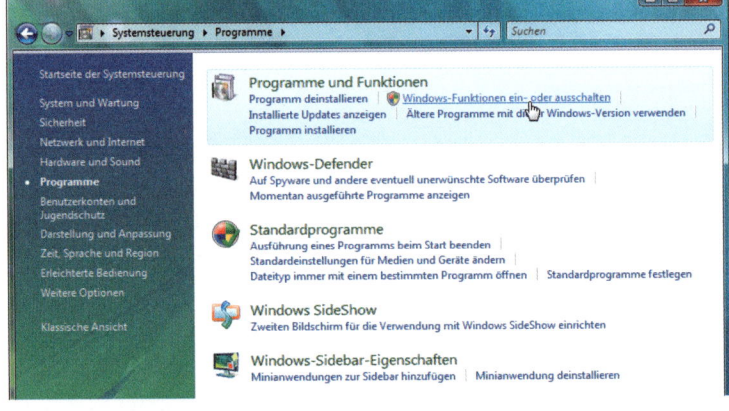

Tipp

Ist die Klassische Ansicht gewählt, spart man sich
einen Schritt:
**Start/Systemsteuerung/Programme und Funktionen/
Windows-Funktionen ein- oder ausschalten.**

4. Schalten Sie die gewünschten Funktionen durch Setzen von
   Häkchen ein bzw. aus, beispielsweise **Telnet**, **Spiele**, **Windows
   Fax** usw.

5. Per Klick auf **OK** speichern Sie Ihre Einstellungen
   und schließen den Dialog.

Neues Betriebssystem und alte Probleme: Softwareinstallationen laufen nur bedingt oder gar nicht mehr. Das Notebook harmoniert nicht mehr, Fehlermeldungen oder Abstürze häufen sich. Das Feature **Zuverlässigkeits- und Leistungsüberwachung**, eine Neuerung unter Vista, macht es nun möglich, wenigstens den wichtigsten Verursachern dieser Fehler auf die Schliche zu kommen.

1. Melden Sie sich als Administrator an.

2. Drücken Sie ⊞+R, um den Dialog **Ausführen** einzublenden.

3. Geben Sie **perfmon.msc** ein, gefolgt von ↵.

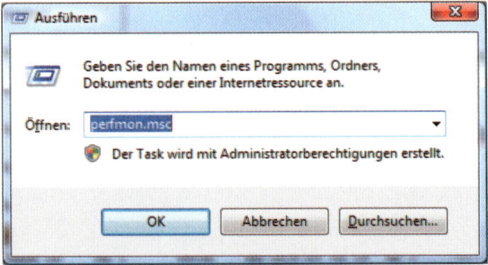

4. Wählen Sie links im Bereich **Überwachungstools** den Eintrag **Zuverlässigkeitsüberwachung** aus.

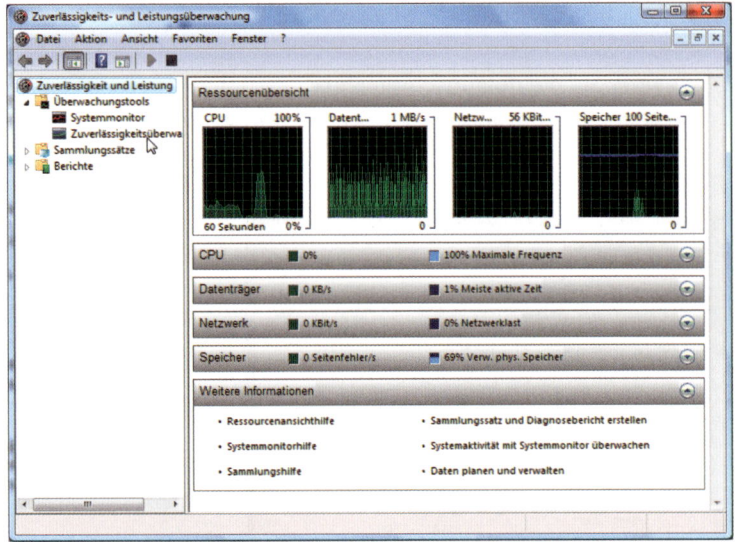

Sind hier rote Punkte aufgeführt, können Sie damit eindeutig die fehlerhaften Programme oder Programminstallationen identifizieren, die für Fehler oder Abstürze des Systems verantwortlich bzw. daran beteiligt waren. Diese Informationen werden auf den Tag genau erstellt.

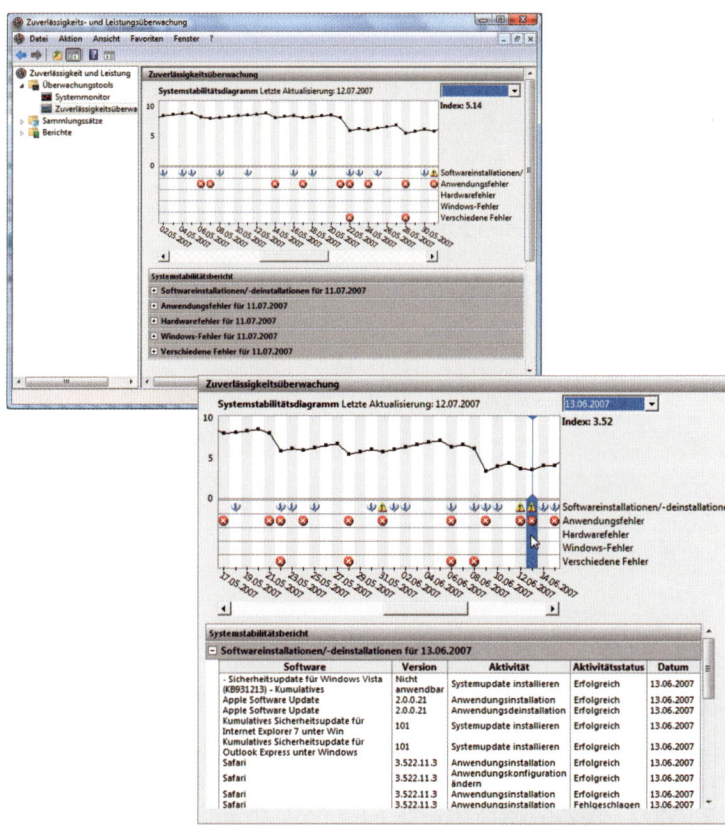

Wie Sie sehen, hatten wir am **13.06.2007** Probleme mit dem **Safari**-Browser.

Tipp

Es ist nun an Ihnen, die gefundenen Fehlerquellen zu beseitigen. Oftmals hilft es schon, ein Programm-Update vorzunehmen bzw. auf der Herstellerseite zu prüfen, ob die Software überhaupt Vista-fähig ist. Leider reicht die Kompatibilitätsinstallation oft nicht aus, um das Programm ordnungsgemäß zum Laufen zu bringen. Hilft gar nichts weiter, sollten Sie erst mal auf das Programm verzichten (Deinstallation) und abwarten, bis eine Aktualisierung oder eine neue Programmversion den Fehler behebt.

Übrigens deckt diese Anwendung zeitgleich und rückwirkend auch:

• Hardwarefehler
• Windows-Fehler
• allgemeine Fehler auf.

79 Fehlerhafte Symboldarstellung reparieren

Werden ein oder mehrere Symbole unter Windows fehlerhaft angezeigt, stimmt vermutlich etwas mit dem Zwischenspeicher für Symbole nicht mehr. Das Problem ist aber recht leicht zu lösen.

1. Öffnen Sie ein Explorer-Fenster.

2. Hangeln Sie sich zum Verzeichnis **C:\Benutzer\Benutzername\ AppData\Local** durch.

3. Löschen Sie dort die Datei **IconCache.db**.

4. Starten Sie Ihr Notebook neu.

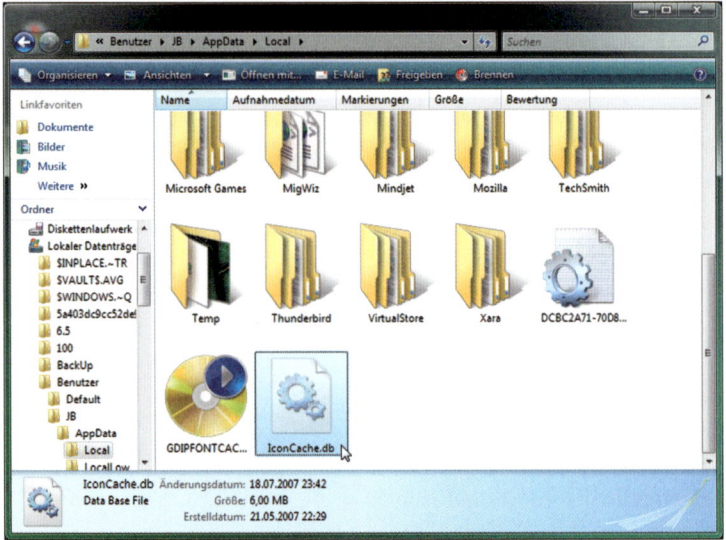

Tipp

Sollten Sie die Datei nicht finden, so machen Sie Folgendes:
1. Klicken Sie auf **Organisieren/Ordner- und Suchoptionen**.
2. Öffnen Sie das Register Ansicht.
3. Entfernen Sie das Häkchen vor **Geschützte Systemdateien ausblenden** und setzen Sie dafür ein Häkchen vor **Alle Dateien und Ordner anzeigen**.

Um normale Daten auf Disk zu brennen, reichen die Windows-Bordmittel meistens aus. Sobald aber komplette Images aufgespielt werden sollen, benötigt man eine Zusatzsoftware. Der ISO Recorder erweitert die Funktionen des Betriebssystems so, dass auch Images für CDs und DVDs gebrannt werden können.

1. Laden Sie sich unter **http://isorecorder.alexfeinman.com/Vista.htm** die für Ihr Betriebssystem passende Programmversion herunter (32-Bit oder 64-Bit).

2. Entpacken Sie die **ZIP**-Datei an einen beliebigen Ort und öffnen Sie den Ordner.

3. Starten Sie die **setup.exe**.

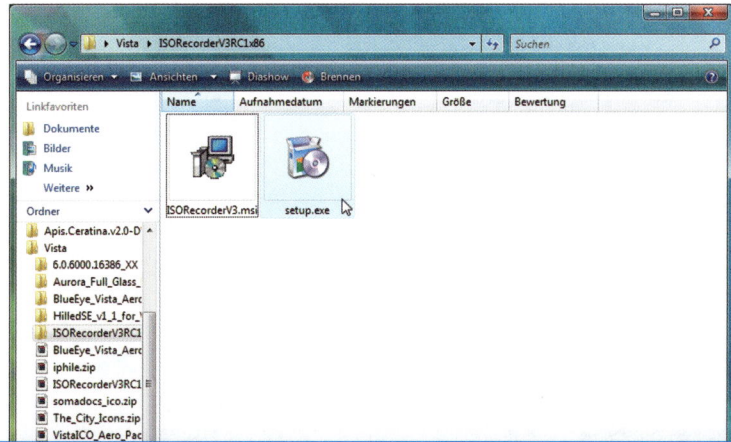

Nach der Installation wird keine Programmgruppe oder ein Desktopsymbol angelegt. ISO Recorder ist eine sogenannte Shell Extension, die einfach über das Mausmenü aufgerufen wird. Das Programm kann sowohl ISOs aus einer eingelegten CD erstellen als auch CDs kopieren.

4. Klicken Sie Ihr Disk-Laufwerk mit der rechten Maustaste an und wählen Sie **Image von CD erstellen** (zum Abspeichern einer **ISO**-Datei) bzw. **CD auf CD kopieren** (zum Kopieren) aus.

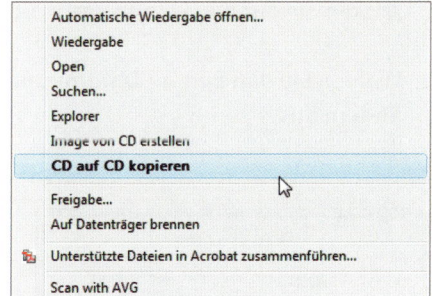

5. Klicken Sie mit rechts auf eine **ISO**-Datei, um diese per Auswahl des Menüpunkts **Image auf CD kopieren** auf eine Disk zu brennen.

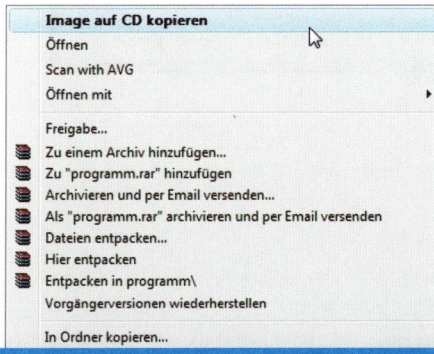

81   Mehrere Uhren anzeigen

Für alle, die viel unterwegs sind, international oder sogar inter-
kontinental arbeiten, ist es hilfreich zu wissen, was die Stunde
wo geschlagen hat. Bis zu drei Zeitanzeigen haben Sie dafür zur
Verfügung.

1. Klicken Sie auf die Zeitanzeige in der Taskleiste unten rechts.

2. Wählen Sie den Eintrag **Datum- und Uhrzeiteinstellungen
   ändern** aus.

3. Öffnen Sie das Register **Zusätzliche Uhren**.

4. Setzen Sie Häkchen vor die Optionen **Diese Uhr anzeigen** und
   wählen Sie aus den Dropdown-Menüs die gewünschten
   Zeitzonen aus.

5. Tragen Sie entsprechende **Anzeigenamen** ein und bestätigen
   Sie die Eingaben mit **OK**.

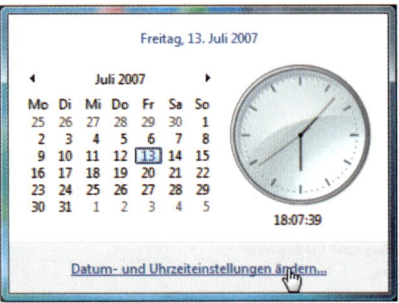

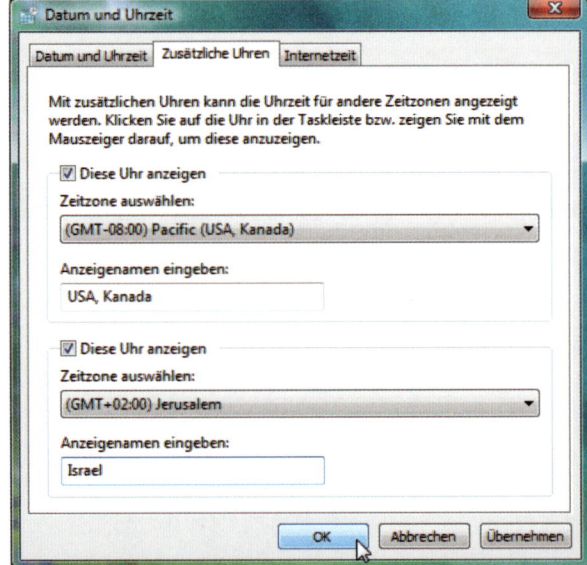

Nun haben Sie alle Zeitangaben auf einen Blick parat.

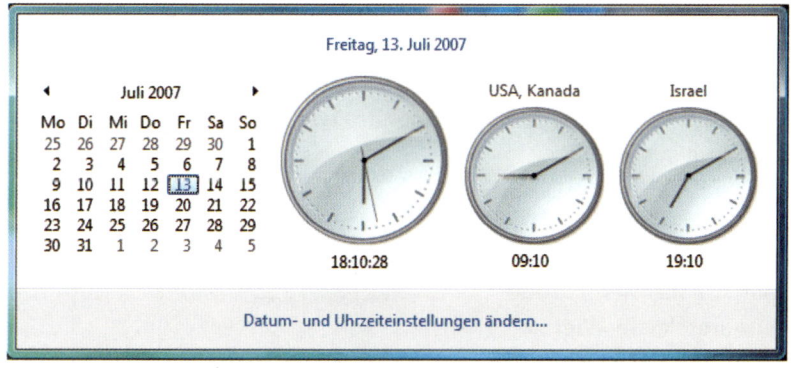

Sieht man mal vom Sicherheitsaspekt ab, gefällt uns der neue Internet Explorer recht gut, wäre da nicht die Sache mit der Menüleiste. Da der Mensch ein Gewohnheitstier ist – wir nehmen uns nicht davon aus –, möchte er ungern auf vertraute Arbeitsumgebungen verzichten. Der Internet Explorer 7 läutet aber eine wahre Revolution ein und bricht mit einer langen Tradition bzw. mit einem altbekannten Windows-Standard. Die aktivierte Menüleiste befindet sich nun unterhalb der Adressleiste und nicht mehr darüber. Glücklicherweise muss man das so nicht akzeptieren.

1. Melden Sie sich als Administrator an.

2. Betätigen Sie ⊞+Ⓡ, um den Dialog **Ausführen** einzublenden.

3. Öffnen Sie im Registrierungs-Editor den Ordner **HKEY_CURRENT_USER\Software\Microsoft\Internet Explorer\Toolbar\WebBrowser**.

4. Doppelklicken Sie auf den Eintrag **ITBar7Position**.

Wie eben erwähnt, liegt beim IE 7 die Menü- unter der Adressleiste. Wie, Sie sehen nicht, was wir meinen? Dann klicken Sie doch im IE 7 einfach auf **Extras** und setzen ein Häkchen vor **Menüleiste**.

Schon wird das Problem sichtbar.

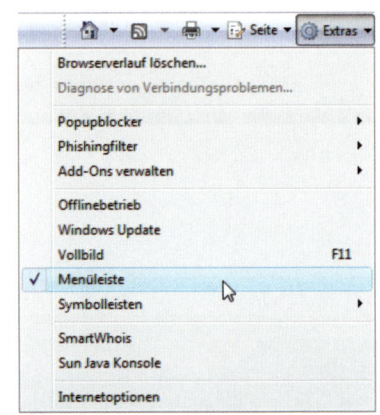

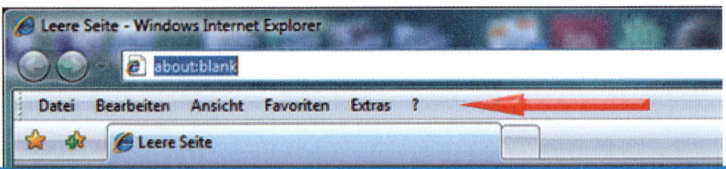

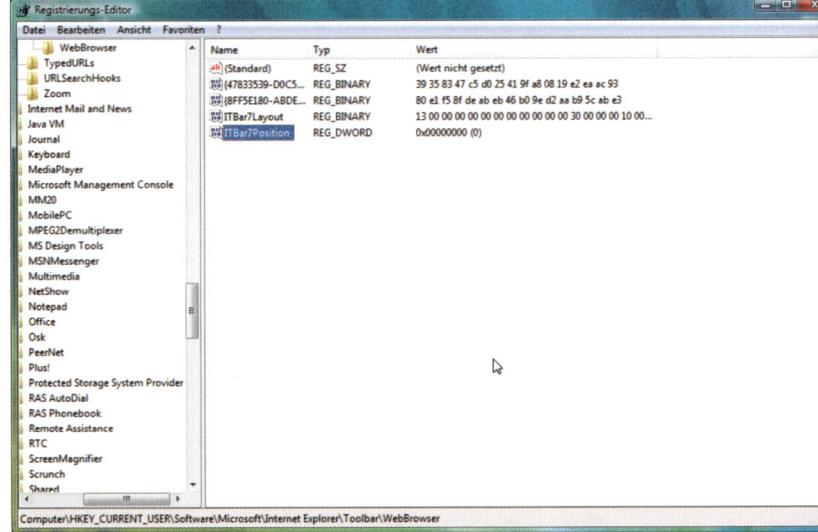

Tipp

Sollte dieser Eintrag nicht vorhanden sein, klicken Sie mit der rechten Maustaste in den rechten Fensterteil und wählen aus dem Menü **Neu/DWORD-Wert (32-Bit)** und weisen dem Wert den Namen **ITBar7Position** zu.

5. Geben Sie **1** als **Wert** an und bestätigen Sie mit **OK**.

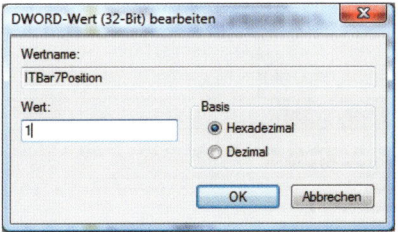

6. Schließen Sie den Registrierungs-Editor.

Das Ergebnis überzeugt:

Im zweiten Teil des Startmenü-Tunings haben wir einen kleinen Trick für Sie, um den Aufruf von **Alle Programme** zu beschleunigen. Das Hervorheben kürzlich installierter Programme drückt nämlich zuweilen auf die Geschwindigkeit.

1. Klicken Sie mit der rechten Maustaste auf die Taskleiste.

2. Wählen Sie im Menü **Eigenschaften** aus.

3. Öffnen Sie das Register **Startmenü** und klicken Sie auf **Anpassen**.

4. Entfernen Sie das Häkchen vor dem Eintrag **Zuletzt installierte Programme hervorheben.**

5. Schließen Sie dieses und das nachfolgende Dialog-Fenster mit **OK**.

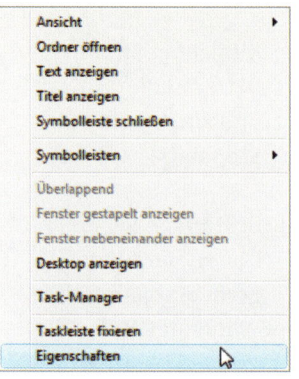

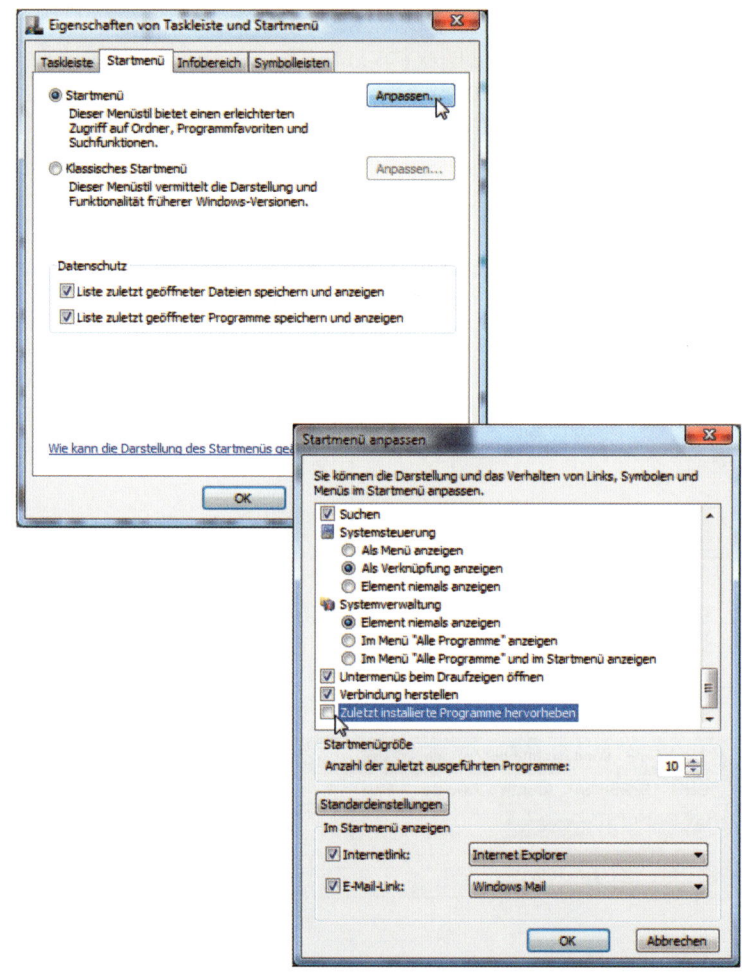

An unseren USB-Anschlüssen herrscht reger Betrieb: Ein interner Card-Reader, ein USB-Speicherstick für ReadyBoost, der MP3-Player fürs Jogging und, und, und. Schließt man nun einen weiteren Speicherstick an, den man hinterher über **Hardware sicher entfernen** entfernen will, steht man vor einem kleinen Problem: Welcher ist der richtige?

1. Klicken Sie mit der rechten Maustaste auf das USB-Symbol in der Taskleiste und wählen Sie **Hardware sicher entfernen** aus.

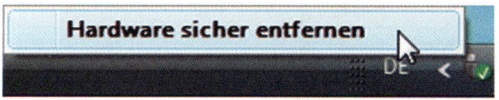

Im folgenden Dialog sind nun alle angeschlossenen USB-Massenspeichergeräte aufgelistet, aber welches ist welches?

2. Setzen Sie einfach ein Häkchen vor **Gerätekomponenten anzeigen** und die Gerätenamen werden eingeblendet.

3. Markieren Sie den betreffenden Eintrag und klicken Sie auf **Stoppen**.

4. Bestätigen Sie im Dialog **Hardwaregerät stoppen** Ihre Wahl mit **OK**.

5. Trennen Sie das Speichergerät vom Notebook.

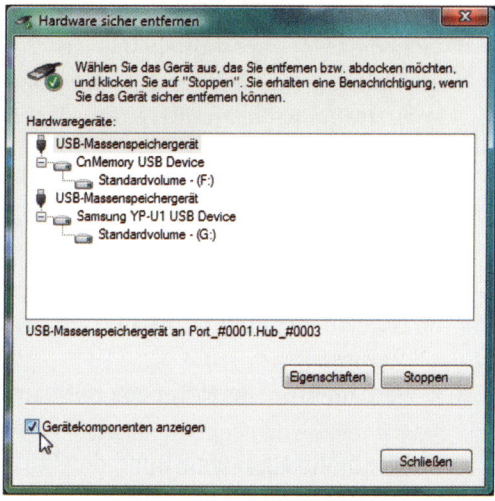

Mit einem entsprechenden USB-Stick kann man unter Windows Vista die Leistung erhöhen. Dies geschieht dadurch, dass der Stick als Erweiterung des Zwischenspeichers (Systemcache) genutzt und dabei ähnlich einem Arbeitsspeicher angesprochen wird.

Sicherheitstechnisch ist dabei alles im grünen Bereich, da die Daten verschlüsselt auf dem Stick abgespeichert und vorhandene Dateien nicht überschrieben werden.

1. Verbinden Sie Ihr Notebook mit dem USB-Stick.

   Sofern Vista gnädig ist und den Stick erkennt, öffnet sich nach der automatischen Treiberinstallation das **Automatische Wiedergabe**-Fenster mit den üblichen Auswahlmöglichkeiten.

2. Klicken Sie auf **System beschleunigen**.

Nun öffnet sich das Fenster **Eigenschaften von USB DISK** unter dem Register **ReadyBoost**.

3. Aktivieren Sie **Dieses Gerät verwenden**.

4. Bestimmen Sie mit dem Schieberegler, wie viel Speicher reserviert werden soll.

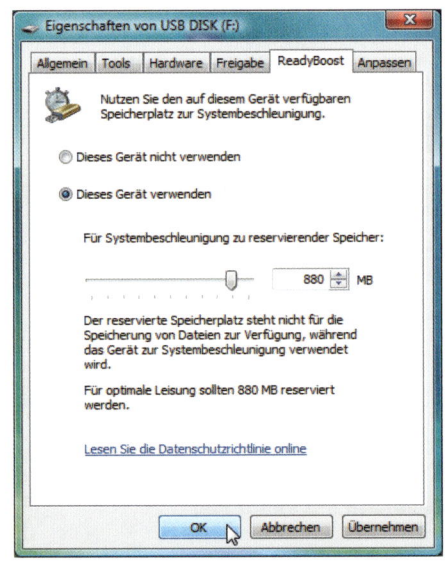

Tipp

Je mehr Speicher Sie jetzt freigeben, desto größer wird der Cachespeicher, der für Ihr System zur Verfügung steht. Aber Vorsicht, ein großer Cache rächt sich mit einem Einbruch der Transferrate zum USB-Stick.

5. Schließen Sie den Dialog mit **OK**.

Sobald Sie ReadyBoost eingestellt haben, braucht Vista eine gewisse Zeit, bis die Cachedatei auf dem Stick angelegt ist. Sie finden sie dort unter dem Namen **ReadyBoost.sfcache**.

Performance-Wunder sollten Sie von ReadyBoost nicht erwarten. Es bringt Ihnen nur bei Verwendung RAM-intensiver Software eine leichte Leistungsverbesserung.

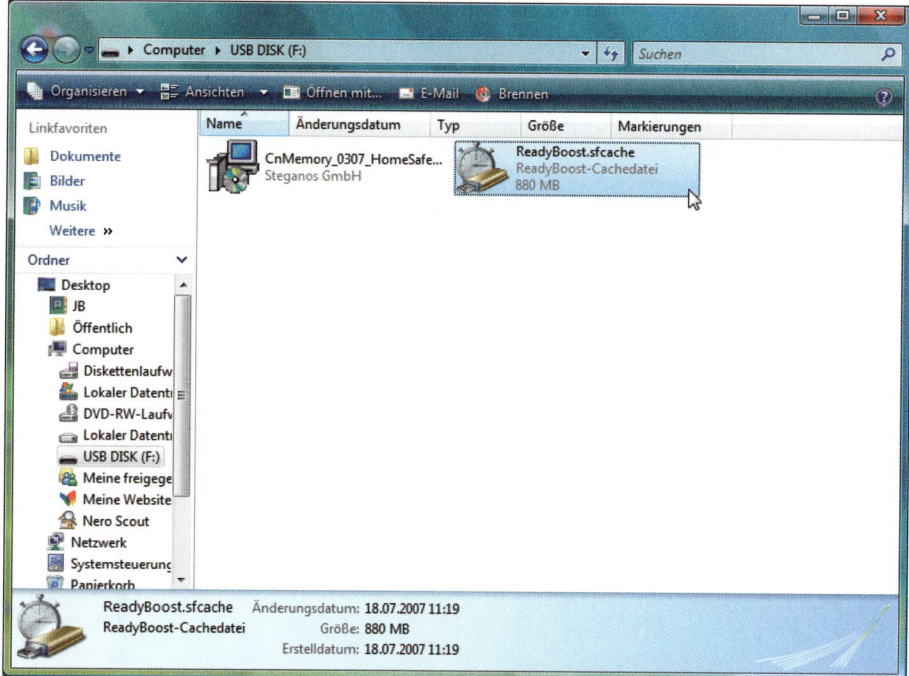

SuperFetch kontrollieren (können)

SuperFetch gehört zu den viel gepriesenen Wunderdingen von Vista. SuperFetch ist eine Fortentwicklung des Prefetch-Dienstes, den es bereits unter Windows XP gab. Immerhin wurde dieser Dienst deutlich verbessert, was angesichts der Speichergier von Windows Vista auch notwendig erscheint. Mittels eines sogenannten *intelligenten Priorisierungsschemas* werden diejenigen Anwendungen erkannt, die am meisten verwendet werden, und schon im Vorfeld in den Arbeitsspeicher geladen.

Das bewirkt, dass das System schneller reagiert, wenn es hochgefahren, nach einer Pause fortgesetzt oder wenn zu einem anderen Benutzer gewechselt wird. Dabei wird übrigens nicht nur nach den häufig verwendeten Anwendungen unterschieden, sondern auch nach verschiedenen Zeitpunkten, zu denen die einzelnen Anwendungen am häufigsten eingesetzt werden. So lernt SuperFetch nach und nach, welche Anwendungen wann am häufigsten eingesetzt werden.

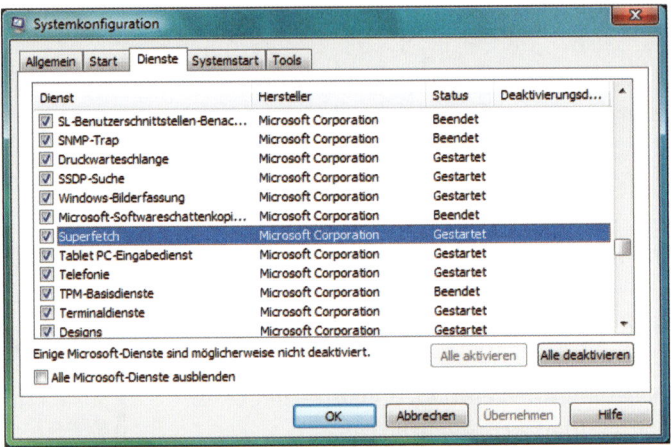

Wir sagen es ja nur ungern, aber prinzipiell sollten Sie an den SuperFetch-Einstellungen nicht drehen, denn die sind standardmäßig schon auf optimale Performance ausgelegt. Denkbar wäre beispielsweise das Deaktivieren der Funktion bei Netzwerkservern, auf denen keine Anwendungen geladen werden – nicht wirklich zutreffend beim Notebook.

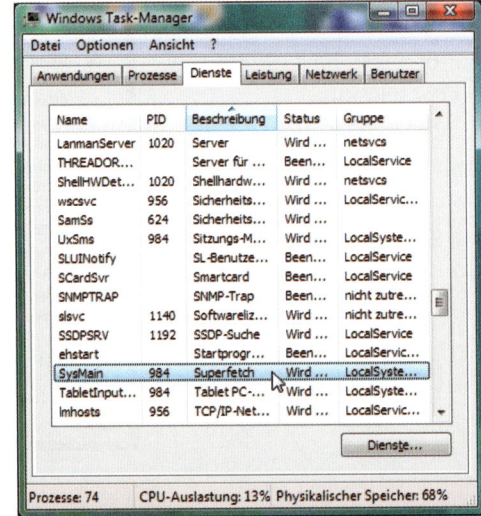

Aber für den Fall der Fälle:

1. Wählen Sie **Start/Ausführen** und geben Sie **regedit** ein, gefolgt von ⏎.

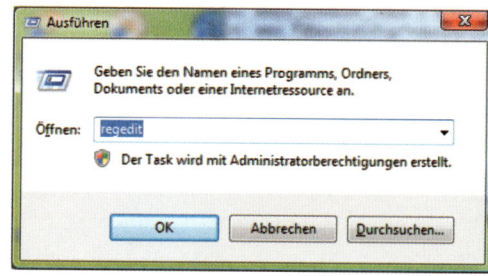

2. Navigieren Sie im Registrierungs-Editor zum Verzeichnis **HKEY_LOCAL_MACHINE\SYSTEM\ CurrentControlSet\Control\Session Manager\ Memory Management\PrefetchParameters** und dort zu den Prefetch- und SuperFetch-Einstellungen.

Die Werte hinter den Einträgen **EnablePrefetcher** und **EnableSuperfetch** beeinflussen deren Funktionen:

- Setzt man den Wert auf **0**, deaktiviert dies SuperFetch bzw. Prefetcher komplett.
- Ist der Wert **1**, wird nur der Start der Anwendungen beschleunigt.
- Bei **2** wird nur der Bootvorgang beschleunigt.
- Setzt man den Wert auf **3**, werden Anwendungen samt Bootvorgang beschleunigt.

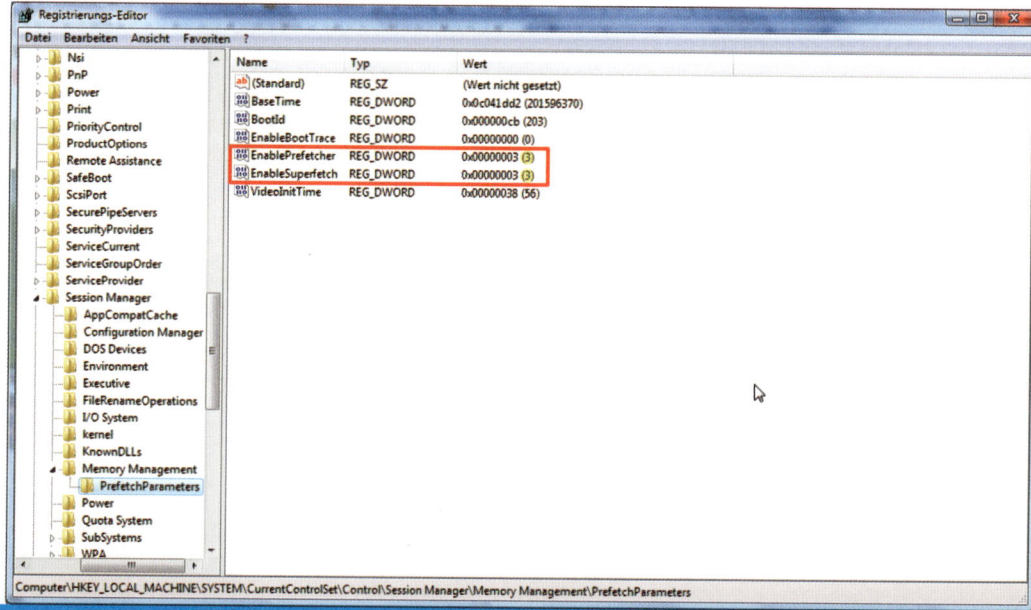

Da hat man Zeit und Energie in das Erstellen eines Dokuments, einer Grafik etc. gesteckt und prompt passiert es: Man speichert die falsche Version ab, schließt noch dazu das entsprechende Programm und nimmt sich so die Undo-Möglichkeit. Alles kein Problem mehr, die Lösung heißt Schattenkopie.

Eine Schattenkopie konserviert eine Momentaufnahme des kompletten Datenbestandes eines Windows-Laufwerks. Haben Sie also versehentlich die „falsche" Version Ihrer Datei abgespeichert und nutzen eine Vista-Ausgabe von Ultimate, Business oder Enterprise, ist die Sache recht einfach:

1. Klicken Sie mit der rechten Maustaste auf die betreffende Datei und wählen Sie **Vorgänger-versionen wiederherstellen**.

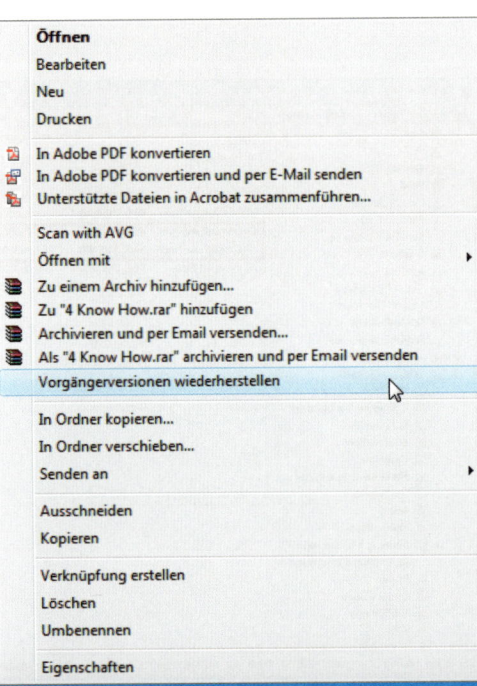

Im Register **Vorgängerversionen** werden nun die wiederherstellbaren Dateien aufgelistet.

2. Markieren Sie die gewünschte Dateiversion und entscheiden Sie mit den Schaltflächen **Öffnen**, **Kopieren** bzw. **Wiederherstellen**, wie Sie weiter damit verfahren möchten.

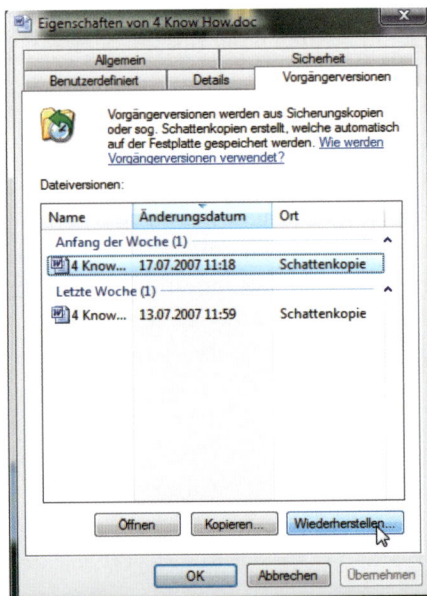

Auch von ganzen Ordnern werden Schattenkopien erstellt. Auf diese Weise findet man in der Vorgängerversion eines Ordners Dateien wieder, die im Original längst gelöscht sind.

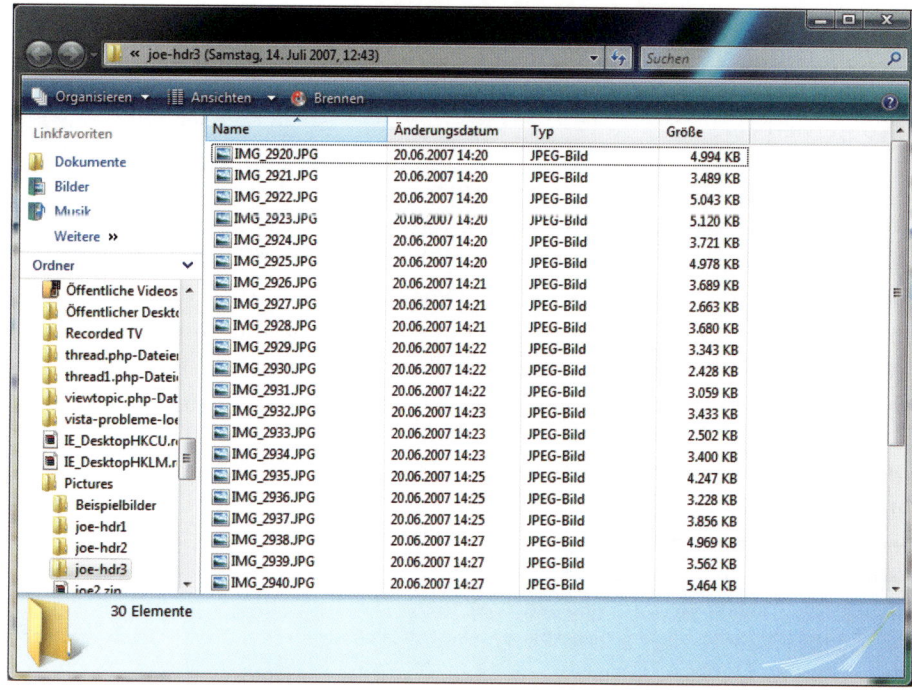

Windows Vista verfügt über ein paar Eigentümlichkeiten. Will man seine Startleiste neu gestalten bzw. selbst strukturieren, kann man die Reihenfolge nicht selbst bestimmen. Selbst nach Deaktivieren der Option **Menü „Alle Programme" nach Namen sortieren**, werden die Ordner nach einigen Versuchen plötzlich doch wieder sortiert. Man muss sich also mit Nummern vor den Ordnern behelfen, damit man seine definierte Reihenfolge behält.

Es geht noch weiter: Sucht man beispielsweise sein Startmenü – wie von Windows XP gewohnt – unter **Dokumente und Einstellungen** und dort bei **All Users** im Explorer, wird man schnell enttäuscht sein. Das Startmenü befindet sich nämlich an ganz anderer Stelle:
C:\ProgramData\Microsoft\Windows\Startmenü\Programs.
Dabei wird in der deutschen Version der Ordner **Startmenü** im Explorer angezeigt, wählt man ihn aber aus, erscheint der Name **\Start Menu**. Wundern Sie sich also nicht: Windows Vista ist ein amerikanisches Programm und im Gegensatz zur funktionierenden Engine für Windows XP ist es den Programmierern von Vista trotz langer Entwicklungsdauer nicht mehr gelungen, hier einheitlich zu arbeiten. Das Resultat ist ein häufiges Wechselspiel zwischen deutsch und englisch. Auch der Ordner **\Programme** lautet beim Auswählen natürlich **\Program Files** ...

Genug gemeckert. Ist also das Startmenü geordnet, kann es vorkommen, dass plötzlich nicht mehr alle Programmsymbole angezeigt werden. Skurril, denn unter **Eigenschaften** sieht man die Symbole und obwohl auch die Verknüpfungen in der linken Startmenüleiste angezeigt werden, so fehlen sie doch teilweise in der rechten Programmmenüleiste.

Leider wissen wir nicht, was die genaue Ursache dafür ist, aber in der Registrierung hat sich etwas verstellt, was man wieder löschen sollte, um die Symbole richtig anzeigen zu lassen.

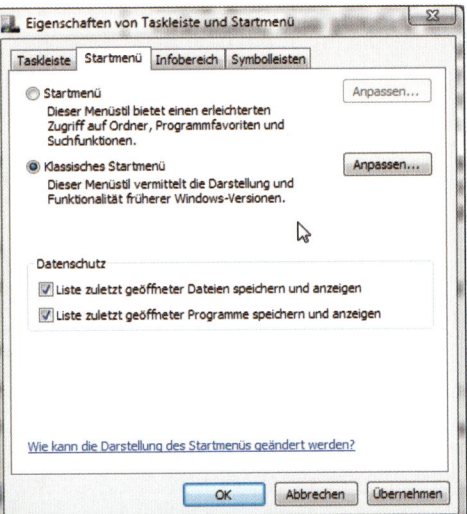

Tipp

Dieser Fehler tritt nicht auf, wenn **Klassisches Startmenü** ausgewählt ist.

1. Klicken Sie auf **Start/Ausführen**.

2. Tippen Sie **regedit** ein und drücken Sie die ⏎-Taste.

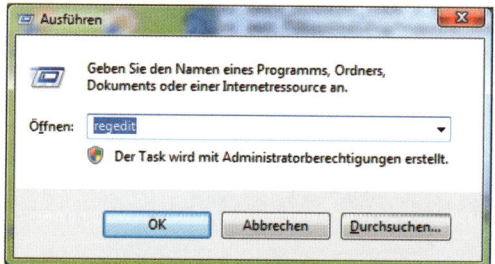

3. Suchen Sie in der Registrierung den Ordner **\HKEY_CURRENT_
   USER\Software\Microsoft\Windows\CurrentVersion\Explorer\
   MenuOrder**.

   Dort sind die defekten Ordner mit einem Code hinterlegt, der
   das Nichtanzeigen der Symbole verursacht.

4. Löschen Sie diese Ordner und die Symbole sind wieder vorhanden.

Ein häufiger Problemfall: Wenn Sie **Computer** öffnen, bleibt das Fenster für sehr lange Zeit (beispielsweise drei Minuten) leer und die Lupe sucht nach Elementen. Ihre Laufwerke tauchen erst nach einer ganzen Weile auf. So können Sie Abhilfe schaffen:

1. Klicken Sie auf **Start/Ausführen**.

2. Geben Sie **service.msc** im **Ausführen**-Dialog ein und drücken Sie ⏎.

3. Klicken Sie mit der rechten Maustaste auf den Eintrag **Windows-Bilderfassung** und wählen Sie **Beenden**.

   Klappt's nun mit **Computer**? Wenn ja, dann hat ein angeschlossener Scanner oder eine Kamera die Probleme verursacht. Aktualisieren Sie die Treiber des Scanners oder tauschen Sie die Kabel aus. Oft hilft es schon, die Geräte an einen anderen USB-Anschluss zu hängen.

4. Stöpseln Sie alle externen Geräte (Modems, Kartenleser usw.) bis auf Maus und Tastatur aus. Versuchen Sie herauszufinden, welches der Geräte schuld an dem Problem ist.

Schlimmstenfalls ist eine Festplatte oder ein CD-/DVD-Laufwerk defekt.

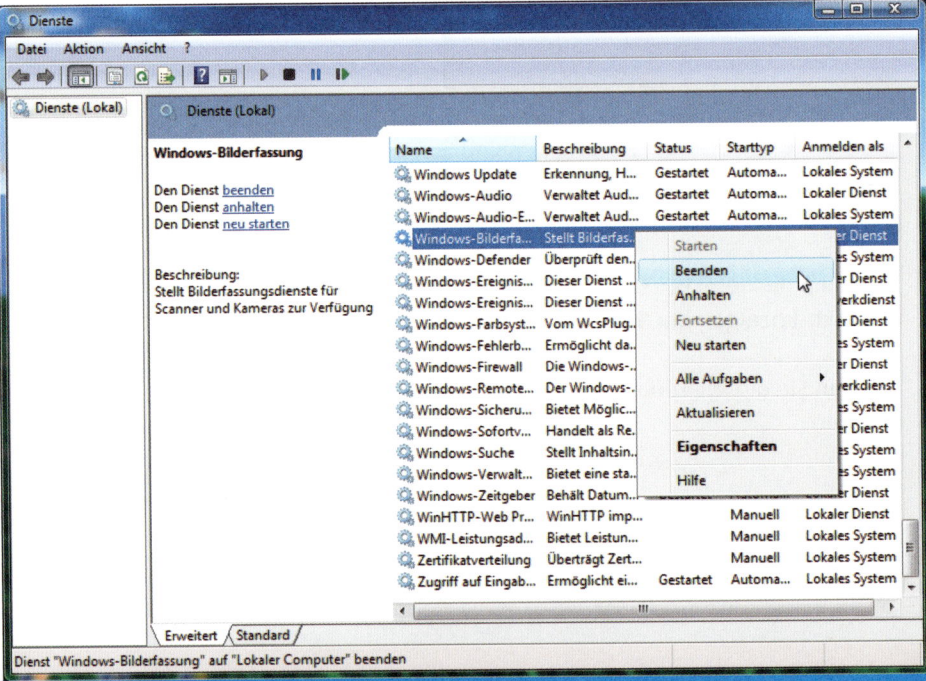

5. Überprüfen Sie die Festplatte, indem Sie im **Computer**-Dialog – nachdem alle Laufwerke erschienen sind – mit der rechten Maustaste auf alle Partitionen klicken und jeweils **Eigenschaften** wählen.

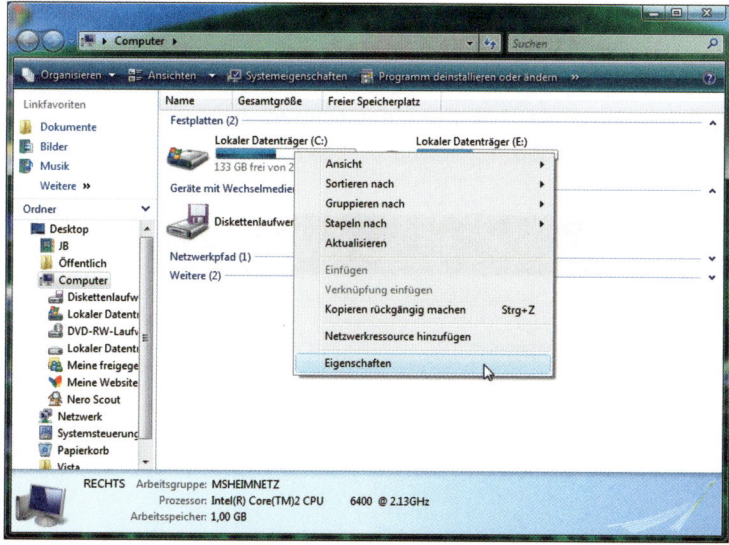

6. Öffnen Sie das Register **Tool** und klicken Sie auf die Schaltfläche **Jetzt prüfen**.

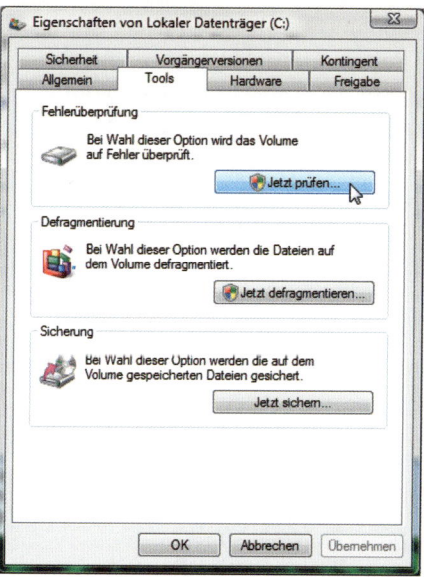

7. Versehen Sie beide Optionen mit einem Häkchen und klicken Sie auf **Starten**.

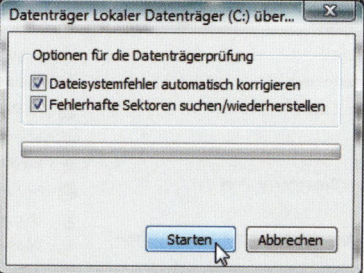

Vermissen Sie auch den einfachen Zugriff auf die Netzwerk-verbindungen aus den XP-Zeiten? Unter Vista ist das etwas umständlich. Sie gelangen zum Ordner **Netzwerkverbindungen** über **Start/Netzwerk/Netzwerk- und Freigabecenter/Netzwerk-verbindungen verwalten** oder über **Start/Systemsteuerung/Netz-werk- und Freigabecenter/Netzwerkverbindungen verwalten**. Wir haben eine einfachere Möglichkeit, damit Sie schnellen Zu-griff auf die Konfiguration der Netzwerkverbindungen erhalten.

1. Klicken Sie mit der rechten Maustaste auf den Desktop und wählen Sie **Neu/Verknüpfung**.

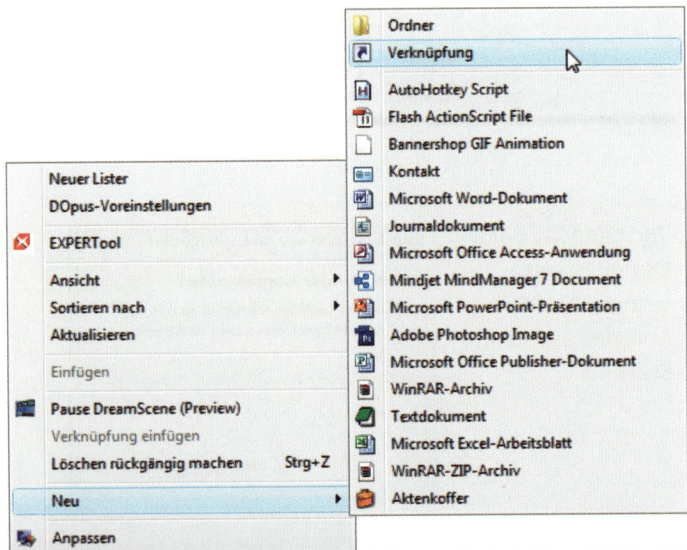

2. Im neuen Dialog tippen Sie bei **Geben Sie den Speicherort des Elements ein** die Zeile **explorer.exe ::{7007ACC7-3202-11D1-AAD2-00805FC1270E}** ein und klicken auf **Weiter**.

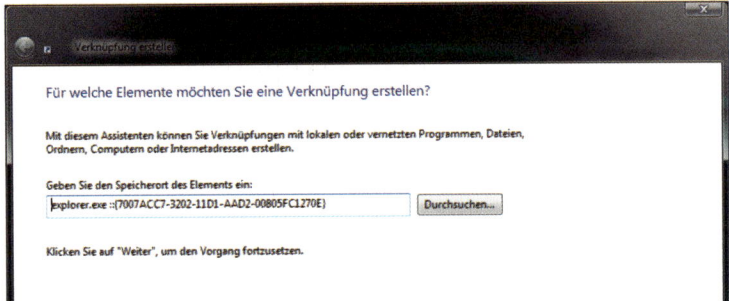

3. Geben Sie der Verknüpfung den Namen **Netzwerkverbindungen** und klicken Sie auf **Fertig stellen**.

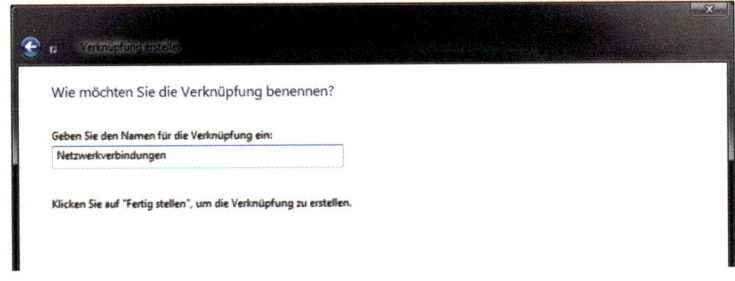

So weit, so gut. Fehlt nur noch das richtige Symbol.

4. Klicken Sie mit der rechten Maustaste auf Ihre neue Verknüpfung und wählen Sie **Eigenschaften**.

5. Klicken Sie im Register **Verknüpfung** auf die Schaltfläche **Anderes Symbol**.

6. Betätigen Sie die Schaltfläche **Durchsuchen** und navigieren Sie zum Ordner **System32** im **Windows**-Verzeichnis.

7. Markieren Sie dort die Datei **netshell.dll** und betätigen Sie die Schaltfläche **Öffnen**.

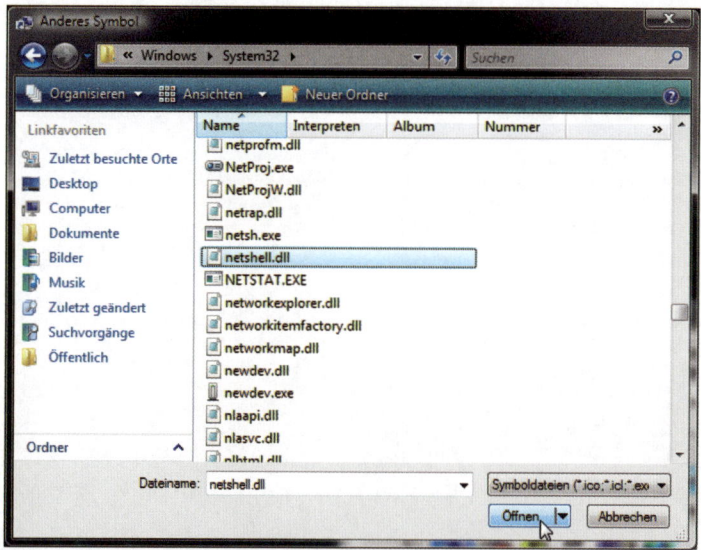

8. Klicken Sie gleich auf das erste Symbol und bestätigen Sie mit **OK**.

Das Ergebnis kann sich sehen lassen.

Wenn Sie jetzt auf diese Verknüpfung doppelklicken, erscheint ein Dialog, in dem Sie Ihre **Netzwerkverbindungen** bequem verwalten können.

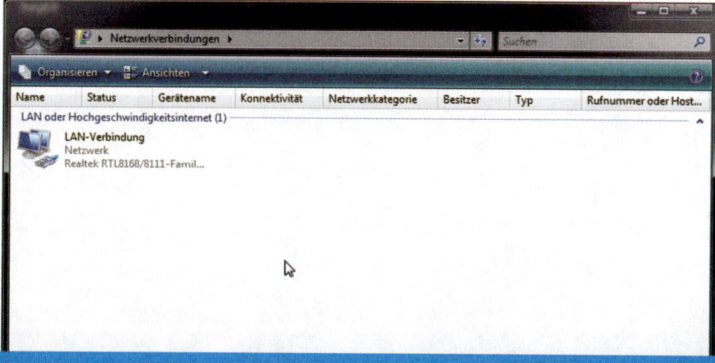

Besser geht's nicht?

Das neue Windows-Betriebssystem ist nicht nur sehr stabil, sondern auch sehr durchdacht. Das heißt aber nicht, dass alle Anwendungen auf dem optimalen Stand sind. Einige können Sie in ihrer Funktion erweitern und komfortabler gestalten, andere durch leistungsfähigere Varianten ersetzen. Und als Clou bekommen Sie das Ganze zum Nulltarif. RocketDock und Vista Firewall Control haben Sie ja bereits kennen und schätzen gelernt. Hier folgen nun weitere nützliche Helfer, die Ihnen bei den alltäglichen Arbeiten mit Ihrem Notebook zur Hand gehen.

Wenn Sie mit vielen Ordnern zur gleichen Zeit arbeiten, werden Sie dabei wahrscheinlich mehrere Fenster benutzen. Doch obgleich der Windows-Explorer dem Internet Explorer sehr ähnlich sieht, unterstützt er leider keine Tabs, über die mehrere Verzeichnisse gleichzeitig geöffnet sein können. Das bedeutet aber noch lange nicht, dass man es ihm nicht „beibringen" könnte.

Zu diesem Zweck gibt es die praktische Erweiterung QTTabBar, die Sie kostenlos unter ***http://quizo.at.infoseek.co.jp/freeware/indexEn.html*** herunterladen können. Entpacken Sie dann das ZIP-Archiv an eine gewünschte Stelle und installieren Sie die Anwendung per Doppelklick auf die Datei **QTTabBar.exe**. Jetzt starten Sie das Notebook am besten neu.

1. Öffnen Sie ein beliebiges Explorer-Fenster, beispielsweise **Computer**.

   Noch sehen Sie keine Veränderung, denn das neue Feature lauert im Verborgenen.

2. Klicken Sie auf **Organisieren/Layout/Menüleiste**.

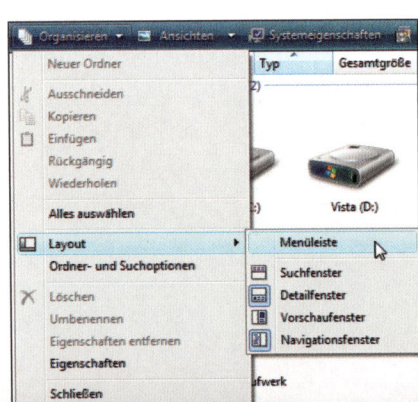

3. Klicken Sie auf der nun sichtbaren Menüleiste auf **Ansicht/Symbolleisten** und markieren Sie den Eintrag **QT TabBar**.

4. Entfernen Sie das Häkchen vor **Symbolleisten fixieren**.

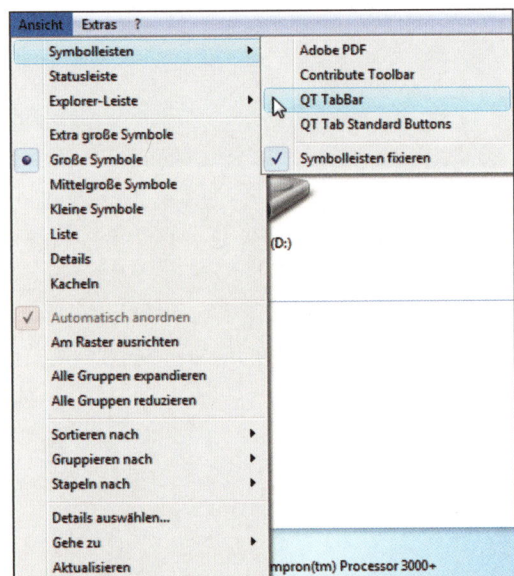

5. Schließen Sie das Explorer-Fenster.

Beim nächsten Explorer-Start stehen Ihnen die versprochenen Tabs zur Verfügung.

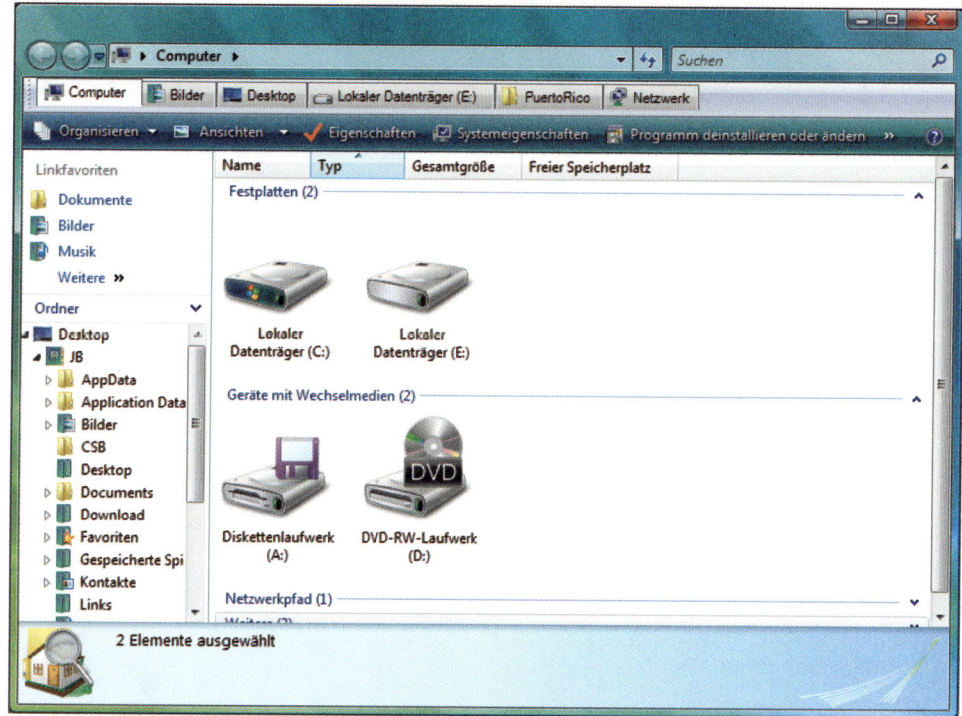

Tipp

Mit der Tastenkombination ⌈Alt⌉+⌈M⌉ lässt sich die Explorer-Menüleiste ein- und ausblenden. Durch Klicken mit der mittleren Maustaste bzw. mit dem Mausrad auf Ordner oder Verzeichnisse im Explorer-Fenster werden diese in einem neuen Tab geöffnet. Klicken Sie mit der mittleren Maustaste bzw. mit dem Mausrad auf ein Tab, wird es wieder geschlossen.

Oftmals hat man mehrere Fenster und Anwendungen gleichzeitig auf dem Desktop geöffnet. Das Tool Madotate kann dabei helfen, die Übersichtlichkeit zu verbessern. Die Fenster erscheinen dreidimensional und können an beliebiger Stelle auf dem Desktop positioniert werden.

1. Laden Sie sich Madotate unter *http://madotate.softonic.de* herunter.

2. Entpacken Sie den Ordner an eine beliebige Stelle und öffnen Sie ihn.

3. Doppelklicken Sie auf die Datei **install.reg**, starten Sie dann die **madotate.exe**.

   Am oberen rechten Fensterrand gibt es nun eine weitere Schaltfläche.

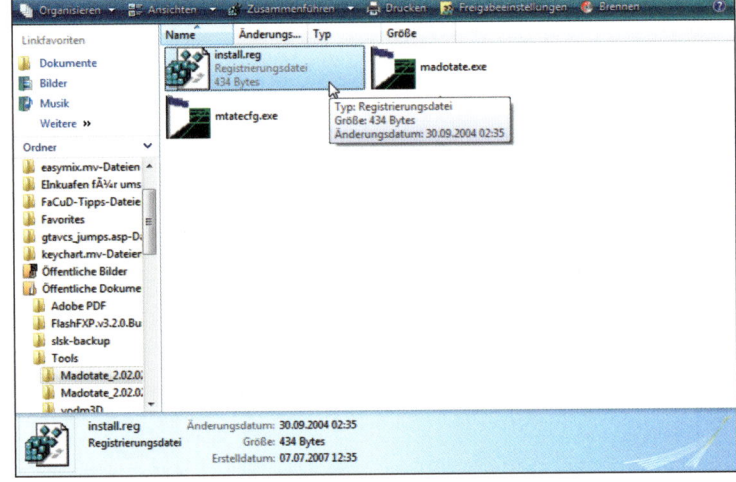

Tipp

Die Aktivierung der **install.reg** ist nur vor dem ersten Start der Anwendung nötig. Danach genügt ein Doppelklick auf **madotate.exe**, um das Programm zu starten.

4. Klicken Sie darauf und das Fenster wird, ähnlich wie bei Flip 3D, abgekippt.

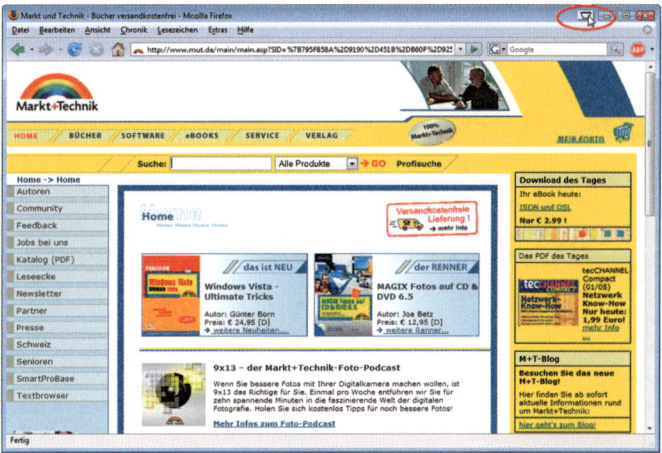

5. Ziehen Sie es mit gedrückter linker Maustaste an die gewünschte Stelle auf dem Bildschirm.

6. Doppelklicken Sie auf ein Fenster, um es zurück in die Normalansicht zu bringen.

7. Um Madotate zu beenden, klicken Sie mit rechts auf dessen Symbol in der Taskleiste und wählen **Exit** aus dem Menü.

Ersatz für den Windows-Taschenrechner

Zugegeben, der Windows-Taschenrechner kann einiges, doch seine Bedienungsfreundlichkeit bleibt dabei auf der Strecke. Sie müssen sich nicht mit ihm abgeben, denn mit ESBCalc gibt es eine fast gleichwertige und obendrein kostenlose Alternative. Allein die Tatsache, dass dieser Rechner alle getätigten Eingaben anzeigt, werden Sie schon bald zu schätzen wissen.

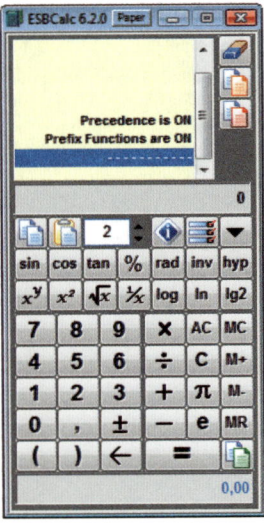

ESBCalc (free) bekommen Sie auf der Seite **www.esbconsult.com/esbcalc/esbcalc.htm**. Auf der Website **www.esbconsult.com** erhalten Sie außerdem ESBUnitConv (free), ein praktisches Programm zur Konvertierung von Einheiten, beispielsweise zur Umwandlung von Meilen in Kilometer. Dabei können Sie nach Herzenslust zwischen mehr als 500 verschiedenen Einheiten hin- und herkonvertieren.

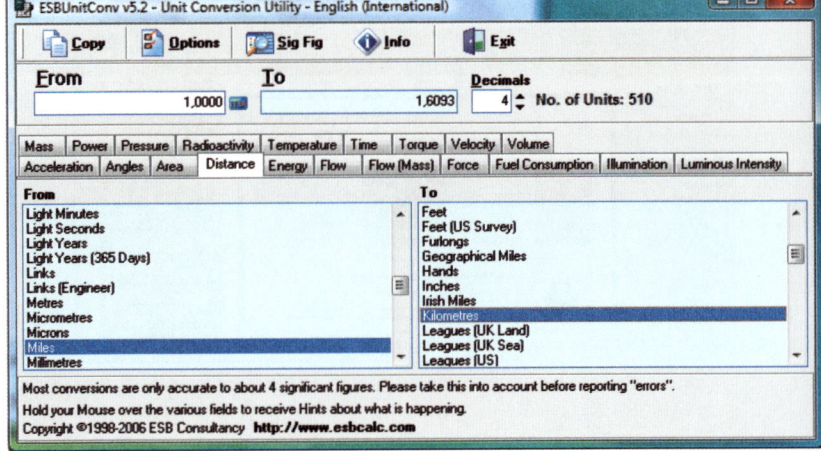

WordPad findet sich, wie auch der Editor, traditionell auf jeder Windows-Distribution. Es ist ein Mini-Textverarbeitungsprogramm, mit dem sich eben mal ein kurzer Brief oder eine Mitteilung verfassen lässt. Mehr bekommt man allerdings nicht, denn schließlich möchte Microsoft ja seine Office-Produkte an Frau und Mann bringen.

Wer eine vollwertige Textverarbeitungssoftware jenseits von WordPad und Office sucht, wird auf OpenOffice stoßen, ein kostenloses Open-Source-Office-Paket. Nun ja, OpenOffice ist ebenso wie Microsoft Office ein riesiges, umfangreiches Paket. Auf dem Notebook sind uns aber schlankere Programme wesentlich lieber, weshalb wir als Alternative das feine AbiWord ins Rennen werfen wollen. AbiWord ist als Open-Source-Software kostenlos und ein reines Textverarbeitungsprogramm, das den großen Konkurrenten in fast nichts nachsteht. Es unterstützt Word- sowie OpenOffice-Dokumente und kann mittels herunterladbarer Erweiterungen im Funktionsumfang gesteigert werden.

AbiWord samt Erweiterungen können Sie auf der Webseite *www.abisource.com* herunterladen.

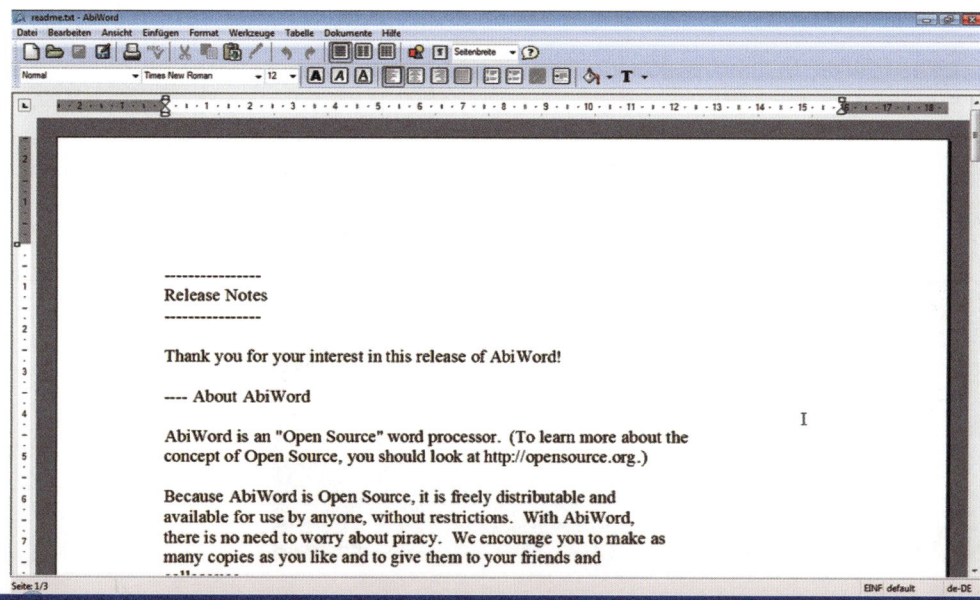

Mal schnell den Text einer E-Mail mit wenigen Klicks verschlüsseln oder Dateien und Ordner einfach per Drag&Drop chiffrieren? Die Minianwendung DESlock+ stellt die schwer zu knackende 256-Bit-AES-Verschlüsselung für den Desktop zur Verfügung.

1. Laden Sie sich DESlock+ in Form einer MSI-Datei unter *http://gallery.live.com/liveItemDetail.aspx?li=0533b5e0-6add-4768-8595-de86d1b06316* herunter und installieren Sie es.

2. Klicken Sie oben in der Sidebar auf das **+**-Symbol.

3. Ziehen Sie die Minianwendung DESlock+ Gadget in die Sidebar.

4. Um eine beliebige, auch größere Datei zu verschlüsseln, ziehen Sie diese einfach auf die Minianwendung.

5. Möchten Sie nur einen Textabschnitt verschlüsseln, so kopieren Sie ihn einfach in die Zwischenablage, klicken mit rechts auf die Minianwendung und wählen **Clipboard/Encrypt Clipboard** aus dem Menü.

6. Geben Sie in beiden Fällen ein Passwort ein, wiederholen Sie die Eingabe und bestätigen Sie mit **OK**.

Die jeweilige Datei wird nun verschlüsselt und erhält die zusätzliche Dateierweiterung **.DLP**.

Ein Text in der Zwischenablage wird verschlüsselt und mit ⇧+V an derselben Stelle wieder eingefügt.

7. Zum Entschlüsseln ziehen Sie die **DLP**-Datei erneut auf die Minianwendung.

8. Geben Sie das Passwort ein und klicken Sie auf **OK**, woraufhin die Originaldatei wiederhergestellt wird.

9. Um einen Textabschnitt zu entschlüsseln, markieren und kopieren Sie ihn in die Zwischenablage.

10. Klicken Sie mit rechts auf die Minianwendung und wählen Sie **Clipboard/Decrypt Clipboard**.

11. Geben Sie nun das Passwort ein und kopieren Sie aus der Zwischenablage den Originaltext zurück.

```
------DLP BEGIN MSG------
Encrypted with DESlock+. http://www.deslock.com/

154MuYRo2QUDTF9qROteGSNTHzoouUcmfoaSX9eLI/dq2Oyp1A
moCnhk2Ltttj4D2YZAPViYYUlvQewSU/MQLrhHDrL8+WL9XtmK
wcSv9s3Y/rUlzW4AFOwBd5Lhs1KrillS7c8AWFP2ajkO5BNSmv
j4/dUhkzCExKyTcWKNwkKt7u5xC6SjRFoTuyV4tnluOtbTCbIi
9bkgwwMCxYxjzhyLNoyIOzS7U/Xqh/ASu5losyK7pjiiMnmzUy
GOk3byA6jwbxuvlWWEdBVdMN7JUquv6mE=YUdyuQ1qvU0YmmST
u+EpEUCh7LMvN3/kdQ==
-------DLP END MSG-------

Entschlüsselt:

|
Markt & Technik ist toll!
```

EssentialPIM Free statt Kalender und Kontakte

Im Vergleich zu Windows XP sind Windows-Kalender und Windows-Kontakte schon ein gewaltiger Schritt nach vorne. Leider werden dabei nur grundlegende Funktionen geboten. Wer einen echten Personal Information Manager benötigt, sollte sich EssentialPIM Free ansehen.

lassen sich angeben. Sie sind also nicht auf die Stufen »erledigt« und »unerledigt« für Ihre Aufgaben beschränkt.

EssentialPIM Free verfügt selbstverständlich über eine deutsche Spracheinstellung. Der Download von **www.essentialpim.com** ist kostenlos.

Die Freeware EssentialPIM Free ermöglicht die zentrale Verwaltung Ihrer Termine, Kontakte, Notizen und Aufgaben in einem Programm. Schon allein die Kalenderfunktion ist dem Windows-Kalender um Meilen voraus. Beispielsweise können Sie Ihre Termine bequem verschieben, verschiedenfarbig darstellen oder mit Prioritäten versehen, wobei das iCal-Format natürlich unterstützt wird.

Im Gegensatz zu den Windows-Anwendungen funktioniert hier die Zusammenarbeit zwischen Kontakten und Kalender, so dass kontaktbezogene Daten automatisch in den Kalender übernommen werden.

Auch die Verwaltung von Aufgaben und Notizen klappt reibungslos. Aufgaben lassen sich automatisch mit Terminen verknüpfen, sogar Fortschritte bei Aufgaben

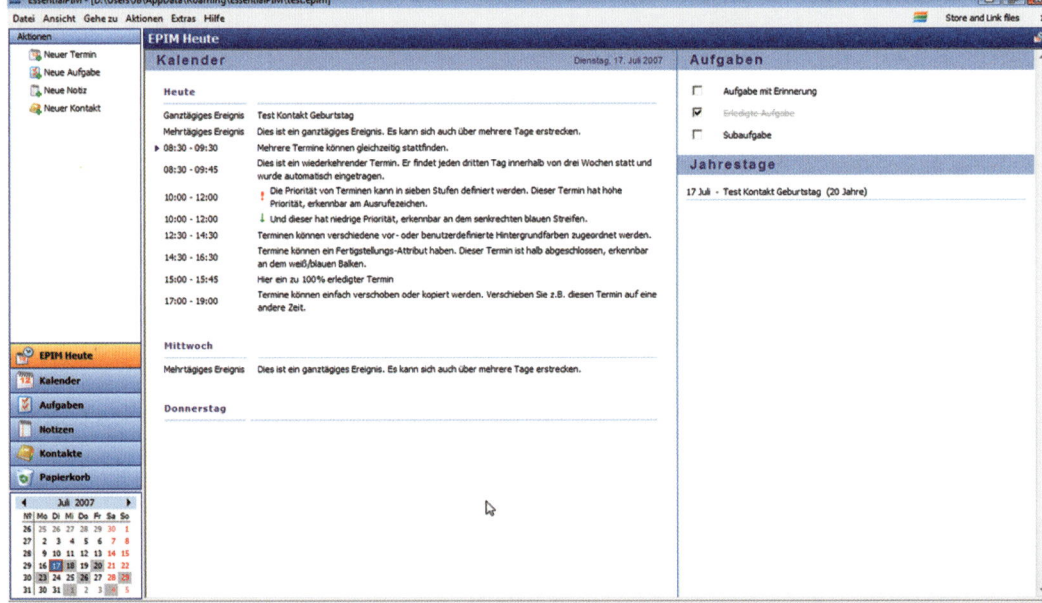

Während Microsoft an allen Ecken und Enden feilt, um noch mehr multimediale Funktionen einzubauen, dümpelt die Bildbearbeitungssoftware **Paint** vor sich hin. Sie befindet sich immer noch auf dem Stand von Windows 3.11 und zieht keinem mehr die Butter vom Brot. Klar, es gibt Menschen, die damit Wunder vollbringen und wahre Kunstwerke erschaffen. Doch für den täglichen Einsatz und besonders auf dem Gebiet der Bildbearbeitung ist sie denkbar ungeeignet. Mittlerweile hätte sie nicht mal mehr als Freeware eine Chance.

Dagegen kann das Bildbearbeitungsprogramm Paint.NET durchaus mit professioneller Software mithalten. Es verfügt über Ebenen und Filter und bietet die unterschiedlichsten Werkzeuge und Korrekturfunktionen. So beispielsweise eine Histogrammanpassung, einen Zauberstab für die Auswahl sowie einen Kopierpinsel. Auch rote Augen in einer Blitzlichtaufnahme lassen sich ganz einfach entfernen.

Weitere Features sind:

- 3D-Zoom und -Rotation
- Skalieren und Rotieren selektierter Bildausschnitte
- Verbinden und Subtrahieren maskierter Stellen
- Move-Historie mit Undo-Funktion
- Einfache Kreisfunktion per Ellipsen-Tools
- Intuitives Scrolling
- Transparente GIFs

- Kontrast mit Helligkeits- statt Farbskalierung
- Benutzerdefinierbare Farbpalette
- Interaktive Farbverlaufseinstellung

Paint.NET wurde von Studenten der Washington State University entwickelt und war ursprünglich als Ersatz für Microsoft Paint vorgesehen. Es ist einfach zu bedienen, kostenlos und läuft ohne Probleme unter Vista. Sie können es von **www.getpaint.net/download.html** herunterladen. Keine Angst, obgleich die Webseite englisch ist, enthält das Programm eine deutsche Übersetzung.

Registry Cleaner, so nennt man diese Programme, findet man in großer Stückzahl. Dem unübersichtlichen Angebot an kostenpflichtiger Software steht ein ebenso großes Spektrum an Freeware gegenüber. Dabei erfüllen doch alle Programme im Kern den gleichen Zweck: Sie durchstöbern die Registrierungsdatenbank nach ungültigen Einträgen und entfernen diese.

So weit, so gut. Aber welches Programm sollte man nun aus dem Angebot auswählen? Wir haben uns für den Wise Registry Cleaner entschieden, denn er ist kostenlos, es gibt eine deutsche Bedienoberfläche, er zeigt genau an, welcher Schlüssel gelöscht werden soll, und er verfügt über die Möglichkeit, das Ganze wieder rückgängig zu machen. Herunterladen können Sie das Wunderding auf **www.wisecleaner.com**. Laden Sie sich auch gleich die deutsche Sprachdatei (**German.ini**) und kopieren Sie diese nach der Installation in den Ordner **Language**.

1. Starten Sie den Wise Registry Cleaner.

2. Sie werden nun dazu aufgefordert, eine Sicherungskopie der Registrierung anzulegen, was Sie tun sollten.

3. Klicken Sie dann auf **Options/Languages/German**, um die Anzeige der Programmoberfläche auf Deutsch zu erhalten.

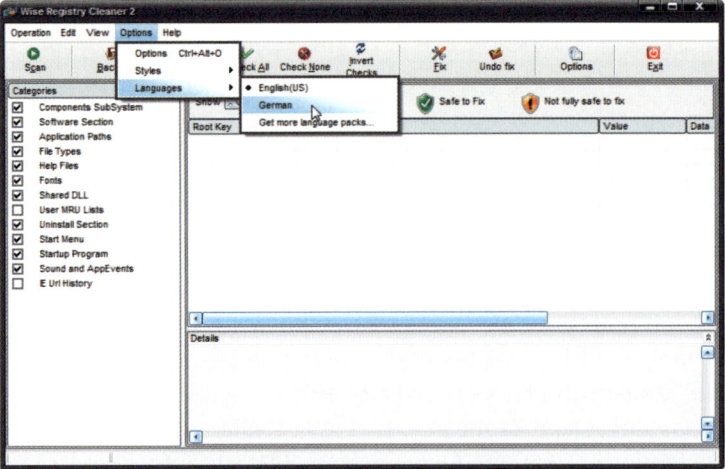

Im linken Teil des Fensters sehen Sie verschiedene Bereiche der Registrierung.

4. Klicken Sie in der Symbolleiste auf die Schaltfläche **Suche**, um den Scan der Registrierung zu starten.

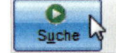

5. Nach Ende des Suchlaufs werden im rechten Fensterbereich alle sogenannten *verwaisten* Einträge aufgelistet.

   Markieren Sie einen Eintrag, können Sie sich die Details im unteren Fensterbereich anzeigen lassen. Vor jedem Eintrag befindet sich ein Symbol. Das grüne steht für sicher behebbar, das orangefarbene für nicht sicher behebbar. Zweckmäßigerweise sind alle grün markierten Einträge bereits vorselektiert.

6. Belassen Sie es bei dieser Vorauswahl und klicken Sie auf **Beheben** in der Symbolleiste.

Über die Schaltfläche **Umkehren** lassen sich Aktionen wieder rückgängig machen.

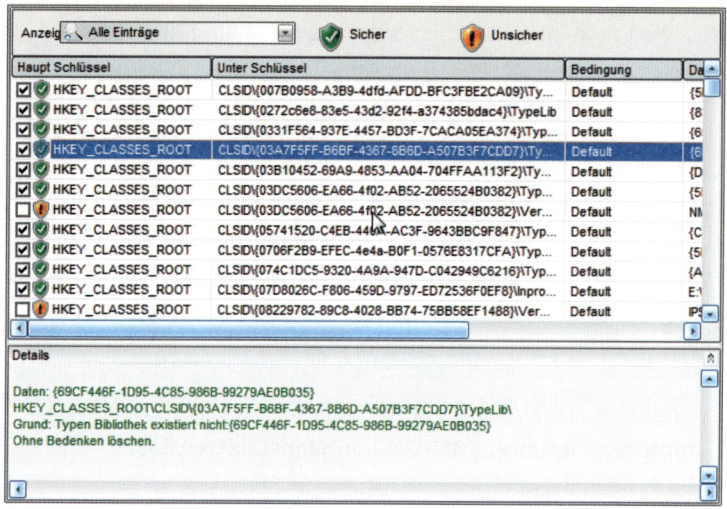

Suchfunktion des Startmenüs tunen

Sie arbeiten auch gerne mit **Start/Ausführen** und benutzen es, um Webseiten aufzurufen, Programme zu öffnen oder Befehle einzugeben? Uns passierte es häufig, dass wir das Eingabefeld im Vista-Startmenü anfangs oft mit dem **Ausführen**-Dialog verwechselten. Dieses Eingabefeld lässt sich mit dem kostenlosen Start++ zu einer Kommandozentrale für die unterschiedlichsten Aktionen „aufbohren". Ein Zeichen oder eine Zeichenfolge samt dem gewünschten Begriff genügen, um eine bestimmte Webseite aufzurufen oder ein Programm zu starten.

1. Laden Sie sich das kostenlose Programm auf *http://brandontools.com* herunter (MSI-Datei) und installieren Sie es.

2. Geben Sie **start++** in das Suchfeld des Startmenüs ein und klicken Sie auf das gleichnamige Ergebnis in der Trefferliste.

3. Tippen Sie nun beispielsweise **!word** ins Suchfenster, drücken Sie ⏎ und Word startet.

4. Geben Sie **w**, gefolgt von einem Suchbegriff, ein, wird Wikipedia durchstöbert. (Zu Beginn noch die englische Datenbank, Sie erfahren aber gleich, wie das geändert wird.)

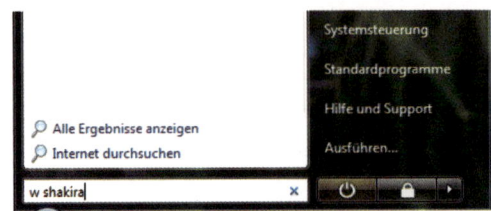

Ein **g** samt Suchbegriff ruft Google auf den Plan.

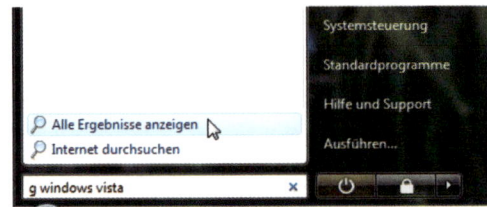

5. Tippen Sie **sudo** und den Namen einer Anwendung ein und diese startet mit Admin-Rechten.

Das geht sogar mit der **Eingabeaufforderung**.

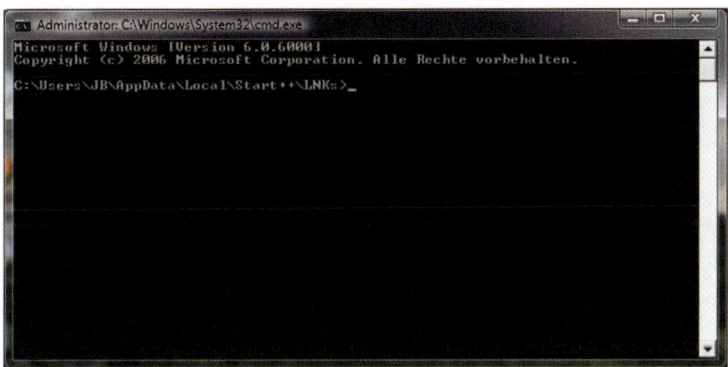

Neben den **Command Startlets** gibt es u. a. auch **Search Startlets**.

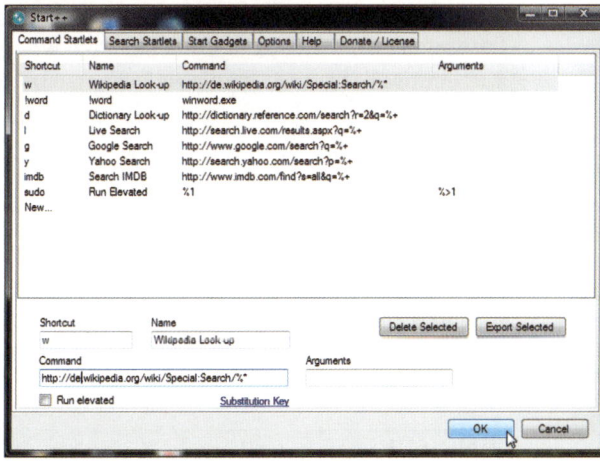

Die Konfiguration ist nicht allzu schwer.

1. Klicken Sie mit rechts auf das **Start++**-Symbol in der Taskleiste und wählen Sie **Configure** aus.

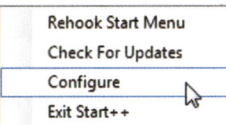

2. Um jetzt beispielsweise statt der englischen die deutsche Ausgabe von Wikipedia zu durchforsten, öffnen Sie das Register **Command Startlets** und markieren den **w**-Eintrag.

3. Verändern Sie unten links im Feld **Command** **http://en.wikipedia.org/wiki/Special:Search/%*** in **http://de.wikipedia.org/wiki/Special:Search/%*** und bestätigen Sie mit **OK**.

Der Befehl **play lemongrass** etwa sucht nach Musik mit dem Stichwort „lemongrass", schreibt die Ergebnisse in eine Wiedergabeliste und spielt diese im Media Player ab.

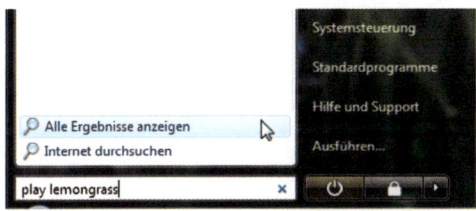

Auf die Werkzeugsammlung ac'tivAid, herausgegeben von der Computerzeitschrift c't, sollten Sie, auch wenn Sie kein Tastenkürzelfetischist sind, auf keinen Fall verzichten. Es gibt die unterschiedlichsten Werkzeuge, teilweise unnötige Gimmicks, aber eben auch wirklich sehr gute Sachen. Sie erhalten das Programm kostenlos auf *www.heise.de/ct/activaid*.

Ac'tivAid basiert auf der Open-Source-Skriptumgebung *Autohotkey* und ermöglicht das Aktivieren vieler nützlicher Funktionen einfach per Tastenkürzel (Hotkey).

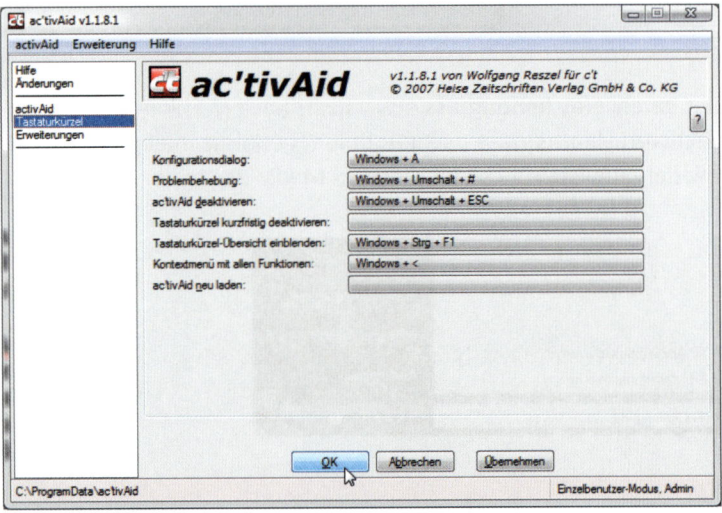

Natürlich werden nur die Erweiterungen aktiviert, die Sie wirklich brauchen.

1. Klicken Sie mit rechts auf das **c't**-Symbol in der Taskleiste und wählen Sie **ac'tivAid konfigurieren**.

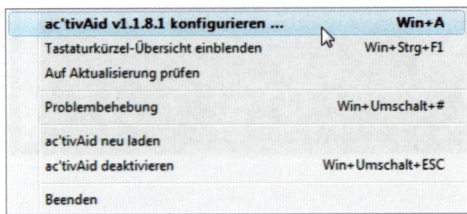

2. Markieren Sie links den Eintrag **Erweiterungen**.

   Im linken Fensterbereich finden Sie nun alle verfügbaren Erweiterungen aufgelistet.

3. Um eine Erweiterung zu installieren, markieren Sie deren Eintrag und klicken auf die Schaltfläche mit dem **>**-Symbol.

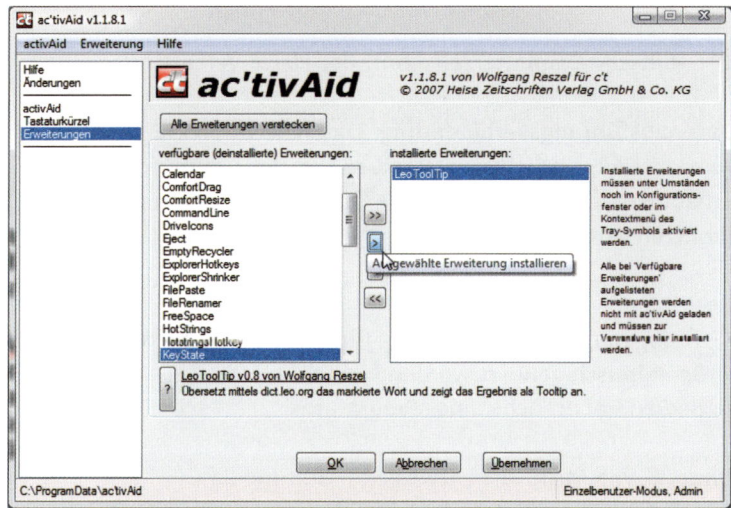

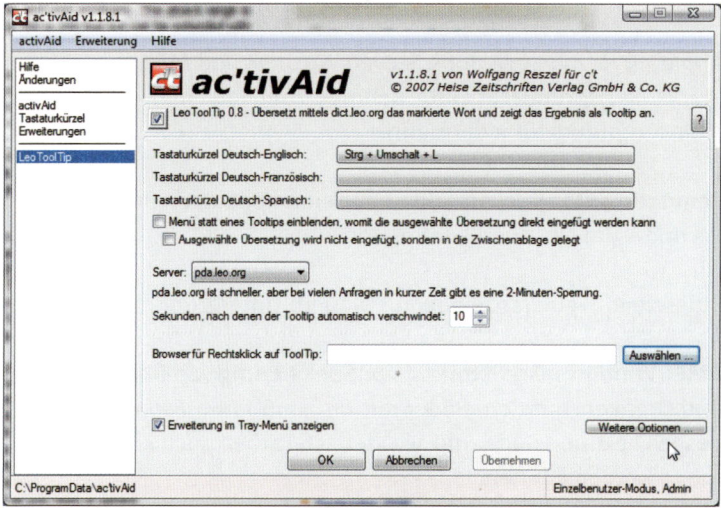

4. Bestätigen Sie mit **Übernehmen**.

5. Klicken Sie nun auf den neuen Eintrag der Erweiterung links – **Leo ToolTip** im Beispiel –, um sich über die genaue Funktion zu informieren.

6. Sind alle gewünschten Erweiterungen installiert, schließen Sie den Dialog mit **OK**.

Ist beispielsweise **Leo ToolTip** aktiviert, markieren Sie in Ihrem Standardbrowser einfach einen Begriff mit der Maus, drücken Strg + ⇧ + L – sogleich wird dieser an die Wörterbuchseite *dict.leo.org* gesendet und Sie erhalten die deutsche oder englische Übersetzung.

Ein weiteres Beispiel ist die Erweiterung **HotStrings**, die in ein Dokument per Tastaturbefehl oder eingegebener Abkürzung eine Textfloskel einfügt.

Glossar

A   **Aero Glass**   Authentic Energetic Reflective Open; 3D-Benutzeroberfläche von Windows Vista.

Apple   1976 von Steve Jobs, Steven Wozniak und Mike Markkula gegründetes Unternehmen zum Bau eines Kleincomputers für jedermann.

B   **Benutzerkonto**   Informationen, die einen Benutzer eines Rechners (im Netzwerk) definieren.

Bluescreen   Fehleranzeigen auf blauem Untergrund.

BMP   Windows-Grafikformat zur Speicherung von Bildern und Grafiken, mit dem Bilder mit bis zu 16,7 Mio. Farben gespeichert und Bilder mit 16 oder 256 Farben auch komprimiert werden können.

Browser   Ein Programm, das es ermöglicht, im Internet Verbindung mit einem Server aufzunehmen und Webseiten darzustellen.

C   **Cache**   Versteck, Zwischenspeicher; Dokumente – z. B. Webseiten – werden in einem Cache abgelegt. Falls diese nach kurzer Zeit wieder verlangt werden, brauchen sie nicht noch einmal geladen zu werden, sondern es genügt ein Zugriff auf den lokalen Cache. Dadurch wird Zeit gespart.

Codec   Coder/Decoder; ein Verfahren bzw. Programm, das Daten oder Signale digital kodiert und dekodiert.

c't   Deutsche Computerzeitschrift des Heise-Verlags.

D   **Datenausführungsverhinderung**   Data Execution Prevention, DEP; ein Sicherheitsfeature, das den Computer vor Schäden durch Viren und andere Sicherheitsbedrohungen schützen kann.

Desktop
- Tischgerät, engl. Bezeichnung für PCs, die an einem Schreibtisch genutzt werden können.
- Bedieneroberfläche eines Programms.

DirectX   Von Microsoft entwickelte Multimedia-Programmierschnittstelle.

Dock   Bestandteil grafischer Benutzeroberflächen zum zentralen Zugriff auf häufig genutzte Programme.

DOS   Disk Operating System; Betriebssystem (MS-DOS, DR-DOS, NEW-DOS, AMIGA-DOS, OS/2, UNIX), das komplett von einer Diskette oder Festplatte geladen und betrieben werden kann.

Drag&Drop Markieren und Verschieben verschiedener Objekte über die Maus.

DreamScenes Windows Ultimate-Extra, das es ermöglicht, mithilfe von WDDM und Windows Aero einen Videoclip (im WMV- oder MPEG-Format) als Desktophintergrund zu benutzen.

DVD Digital Video Disc oder auch Digital Versatile Disc.

E **Echtzeit** Datenverarbeitung, bei der die Ergebnisse so schnell produziert werden, dass keine nennenswerte Zeitverzögerung auftritt.

Explorer Dateimanager in Windows.

F **Firewall** Programm, das den gesamten Datenverkehr vom und zum Internet regelt.

Fonts Schriftarten, die der Computer bzw. Drucker nutzen kann.

Freeware Frei verfügbare Software, die ohne Bezahlung genutzt und an andere weitergegeben werden kann.

G **Google** Beliebteste Suchmaschine im Internet.

GUI Graphical User Interface; grafische Benutzeroberfläche.

H **Hotspot** Lokaler Bereich (z. B. in Großstädten, in Hotels, auf Flughäfen), in dem Internetprovider einen drahtlosen Zugang zum Internet bereitstellen. Mittels der WLAN-Technologie können dort beispielsweise Notebook-Besitzer drahtlos im Internet surfen.

I **Icon** Element einer grafischen Benutzeroberfläche.

iPod Mobiles Abspielgerät für Multimediadateien von Apple nach der Idee von Tony Fadell mit großer Speicherfähigkeit und revolutionärem Design.

J **JP(E)G** Joint Photographic Experts Group; ein Grafikkomprimierungsverfahren.

L **LAN** Local Area Network; lokales Netzwerk (vernetzte PCs innerhalb eines Gebäudes bzw. Grundstücks).

M **MAC-Adresse** Media Access Control-Adresse; individuelle 48-Bit-Adresse, die eine Netzwerkkarte weltweit eindeutig kennzeichnet.

Malware Software, die vom Benutzer unerwünschte Aktionen ausführt.

N **Notepad** Editor für Windows.

P **Packen** Das Komprimieren von Daten.

PC Personal Computer; ein Computer, der für die verschiedensten Anwendungsbereiche eingesetzt werden kann.

Plug-In Ein Hardware- oder Softwaremodul, das mit seinen besonderen Eigenschaften ein größeres System unterstützt.

R **RAW** Der RAW(Roh)-Modus bei Digitalkameras enthält mit z. B. 48-Bit-Farbe noch alle Informationen, die bei der Umwandlung in das 24-Bit-TIFF- oder in das JPEG-Format teilweise verloren gehen.

Registrierung Die Registrierung (Registry) ist eine Datenbank, in der alle Informationen zur Hardware- und Softwarekonfiguration des Computers gespeichert sind. Sie steuert das Betriebssystem, indem entsprechende Initialisierungsinformationen bereitgestellt werden, um Anwendungen zu starten und Komponenten zu laden.

Router Ein Gerät, das innerhalb eines Verbundnetzwerks Informationen über verschiedene Leitwege senden kann.

S **Second Life** Von Linden Lab entwickelte Web-3D-Simulation.

Spyware Ein meist werbefinanziertes – für den Nutzer scheinbar kostenloses – Programm, das Routinen enthält, die untersuchen, welche Webseiten besucht werden, was heruntergeladen wird, welchen Namen und welche E-Mail-Adresse der Nutzer hat usw. Dadurch können Betreiber großer Datenbanken im Laufe der Zeit sehr detaillierte Persönlichkeitsprofile erstellen und diese Information Gewinn bringend vermarkten.

SSID Service Set Identifier; die Kennung eines Funknetzwerks.

SSL Security Socket Layer; Internetprotokoll zur sicheren Übertragung von Daten.

T **Taskleiste** Symbolleiste, die sich standardmäßig am unteren Bildschirmrand befindet. Sie enthält immer die Start-Schaltfläche sowie Symbole aller geöffneten Programme und Ordner, sodass diese einfach angeklickt werden können.

Tool Werkzeug; Bezeichnung für kleine Hilfsprogramme.

Treiber Softwarekomponente, die einem Computer den Datenaustausch mit einem bestimmten Gerät ermöglicht.

U **Update** Aktualisierung.

V **Verschlüsselung** Für Sicherheitszwecke eingesetzte Änderung eines Datenstroms, damit er als zufällig erscheint.

W **WDDM** Windows Display Driver Model; Grafikkartentreiber für Vista.

Windows Grafische Benutzeroberfläche von Microsoft, die die Eigenschaften eines Betriebssystems hat.

WLAN Wireless Local Area Network; drahtloses lokales Netzwerk.

Z **ZIP-Datei** Datei mit zur Verkürzung der Übertragungszeit komprimierten Daten.

Index

Mit Spaß fotografieren!

Dieses umfassende Grundlagenbuch des international bekannten und renommierten Fotografen Michael Freeman ist eine hervorragend strukturierte und verständliche Einführung in die digitale Fototechnik. Es liefert alles Wissenswerte über Hardware und zeigt, welche Ausrüstung Sie wirklich benötigen. Quer durch alle Motivthemen zeigt er die besten Aufnahmetechniken. In praktischen Workshops lernen Sie alles rund um Bildbearbeitung mit vielen vergleichenden Beispielen und Bildschirmabbildungen. Mit über 600 farbigen Abbildungen und den besten Tipps zum Versenden, Bearbeiten und Archivieren von digitalen Bildern.

Michael Freeman
ISBN 978-3-8272-4094-1
19.95 EUR [D]

Die Reihe ‚Digital Fotografieren' behandelt jeweils unterschiedliche Motive. Themen sind z. B. Landschaft, Schwarz/Weiß, Hochzeit oder die Makro-Fotografie.
Mehr auf www.mut.de

So einfach geht's!

Kurz, knapp und präzise auf den Punkt werden hier die 100 Top-Fragen zum Thema „Internet" präsentiert. Vom Einrichten des Internet Explorers bis zur eigenen E-Mail-Adresse, von Suchmaschinen bis Shopping, von Online-Banking bis zu den „Mitmach-Webseiten" des Web 2.0 (Stichwort Bloggen, Flickr und YouTube) – Sie erfahren buchstäblich ALLES zu den wirklich wichtigen Dingen, die Sie Tag für Tag mit dem Internet erledigen. Übersichtlich, klar und auf je nur einer Doppelseite pro Tipp werden hier die Dinge erklärt, die Sie tatsächlich für den Umgang mit dem Internet brauchen!

Michael Kolberg
ISBN 978-3-8272-4334-8
12.95 EUR [D]

Mehr auf www.mut.de